꾸미를 보고 싶니?

갑자기 바람이 불면

"안녕 꾸미야."라고 불러봐

그럼 꾸미가 대답할지도 몰라.

너의 친구가 되어주고

너의 이름을 찾으러 같이 갈지도 몰라.

또 꾸미와 가볼까?
이번에는 어떤 이름이 기다릴까?

서평

  안양시 학교사랑연구회 22기 활동을 함께하며 알게 된 서재호 회장님의 열정은 첫인상부터 강렬하게 다가왔습니다. 지역 사회와 학생들을 위해 늘 애쓰는 모습을 보며 많은 것을 배웠고, 깊은 존경심을 품었습니다.

  그 와중에 국립 한국방송통신대학교 생활과학대학원에 입학하여 공부를 시작한다는 소식을 듣고는, 바쁜 직장 생활에 봉사활동까지 병행하면서 과연 학업까지 어떻게 해내실까 싶었습니다.

  하지만 누구보다도 성실히 학업에 임해 결국 졸업을 이루어내셨고, 그 결실로 후배들을 위한 '대학원 길라잡이'라는 귀중한 자료를 발간하셨습니다.

  학문적 깊이와 현실적인 조언이 함께 담긴 이 책은 앞으로 학업을 이어갈 많은 후배에게 소중한 나침반이 되어 줄 거라 확신합니다. 수많은 학우가 더 쉽고 효과적으로 공부에 몰두할 수 있도록 돕고자 하는 마음이 묻어나는 이 책은, 서재호 회장님과 집필에 함께해 주신 모든 분의 노력이 아니었다면 완성될 수 없었을 것입니다.

  집필에 함께하신 모든 분께 깊은 존경과 응원의 마음을 전하며, 국립 한국방송통신대학교 생활과학대학원이 앞으로도 더 많은 이들에게 성장의 기회를 제공하는 훌륭한 배움의 장이 되기를 기원합니다.

2024. 11. 03. 방송작가 박은진 드림

1쇄　2024년 12월 15일

글 윤강인, 오은경, 함금순, 김현숙, 김지연, 이애란, 조근수, 이금숙
서재호, 김삼곤, 임영진, 심석영, 김금숙, 김수연, 이영미, 송선영

펴낸곳 제제북스
주소 경기도 과천시 과천대로 2길 6. 과천테라스원 508호
전화 02-3679-5802
이메일 onehalf@1half.kr
홈페이지 www.1half.kr

출판등록 제 2020-000015호
심석영 2024
ISBN 979-11-985514-0-5(03590)

· 도움을 주신 분 : 은하 인쇄 (김말숙 21기)

추천사

국립 한국방송통신대학교 생활과학대학원 19기 원우들이 펴낸 이 책은 삶의 전환점에서 새로운 도전을 시작한 이들의 진솔한 이야기를 담고 있습니다.

ROTC 동기가 국립 한국방송통신대학교 대학원에 늦은 나이에 진학한다고 했을 때, 처음에는 걱정이 되었습니다. 하지만 그가 보여준 성장과 변화의 모습은 제 우려가 기우였음을 증명해 준 것 같습니다.

이 책에는 20~60대의 다양한 연령층이 전문성 향상과 자아실현을 위해 대학원 과정에 도전한 여정이 생생하게 담겨있습니다. 서로 다른 배경을 가진 원우들이 서로를 격려하고 지지하며 함께 성장해 나가는 모습은 깊은 감동을 줍니다.

주목할 만한 점은 이들이 단순한 지식의 소비자 위치에서 벗어나 새로운 지식을 창출하는 생산자로 거듭나는 과정입니다. 학부 과정은 다양한 분야의 지식을 소비할 수 있는 지식 소비자를 양성하는 과정이라고 볼 수 있습니다. 반면, 대학원 과정은 좁고 깊은 분야에서 새로운 지식을 생산하는 지식 공장장으로 변모하는 과정입니다. 그만큼 괴롭고 외로운 과정인데, 서로 격려하면 과정을 성공적으로 마친 에피소드들은 참으로 감동적이었습니다.

책 속 이야기들은 단순한 학위 취득 과정을 넘어, 인생의 새로운 장을 열어가는 도전과 성장의 기록입니다. 문화해설사, 마라톤, 압화, 그림책 작가 등 각자의 재능을 발견하고 발전시켜 나가는 과정은 지식의 실천적 확장을 보여주는 좋은 예시입니다.

특히 젊은 세대들에게는 평생학습의 가치와 중요성을, 중장년층에게는 늦었다고 생각하지 말고 도전하라는 용기를 전해줄 것입니다.

이 책은 국립 한국방송통신대학교 대학원이 제공하는 양질의 교육과 함께, 배움에 대한 열정만 있다면 나이와 환경에 관계없이 꿈을 이룰 수 있다는 희망의 메시지를 전합니다.

학문적 성장을 넘어 삶의 지평을 넓히고자 하는 모든 이들에게 이 책을 진심으로 추천합니다.

명지대 경제학과/응용데이터사이언스 교수

우석진

들어가면서..

공부에 대한 열망은 아직 남아있는데
여러 가지 주변 환경 때문에 망설였던 기간이 있었습니다.

결국 국립 한국방송통신대학원에 입학하였고 졸업을 하였습니다.

이 책은,

생활과학대학원를 졸업한 원우들의 이야기입니다.
전공은 각기 달랐지만 마음은 한결같았습니다.

이 책이,

공부를 좀 더 하고 싶어 하는 학우들에게,
아직 대학원 졸업 하기 전인 원우들에게,
졸업 후 무엇을 해야 하나 고민하는 원우들에게,
조금이나마 도움이 되었으면 좋겠습니다.

인생의 전환점을 지나고 계시는 중장년층에게,
무언가 새로 시작하려는 청년들에게,
어떻게 마무리를 해야하나 고민하시는 장년 이후 층들에게도,
새로운 이정표가 되었으면 좋겠습니다.

책을 만드는데 같이 동참해 주신
생활과학대학원 선배님들, 동기님들,
진심으로 감사드립니다.

2024년 11월 가을,
국립 한국방송통신대학원 생활과학과 19기
북작가 대표 심석영 올림

목차

가정복지상담학전공 윤강인 (성균관대학교대학원 박사수료)

안녕하세요. 생활과학과 11기 윤강인입니다. 이렇게 여러 분께 인사드리게 되어 기쁘게 생각합니다. 방송통신대학원 생활에 대해 말씀드리기 전에 제 소개를 간단히 하겠습니다. 저는 경희대학교를 졸업하고 육군 소위로 임관하여 소대장, 중대장으로 근무했습니다. 제대 후 지금까지 한국보건사회연구원과 한국장례문화진흥원에 근무하며 장사(葬事) 관련 업무를 수행하고 있습니다.

한국장례문화진흥원에 근무한지 반년 정도 지났을 무렵, 방송통신대학원에 지원했습니다. 방송통신대학원을 선택한 이유로 저렴한 학비와 온라인으로 학습할 수 있는 환경을 꼽을 수 있습니다. 방송통신대학원에 진학하기 전에 한국외국어대학교 경영대학원과 경희사이버대학교, 학점은행제로 다양한 전공들을 학습하였습니다. 전공들 가운데 학점은행제로 사회복지학을 전공하면서 관련 전공으로 대학원 진학을 결심했는데, 사립대학원에 진학하기엔 다소 부담스러운 상황이었습니다.

아울러 사이버대학교 및 학점은행제 과정을 이수하면서 온라인 학습에 익숙해진 덕분에 방송통신대학원 진학을 선택하게 되었습니다. 당시 방송통신대학원에 사회복지학 석사과정은 없었고, 가정학과(現 생활과학과)내에 가족복지 관련 과목이 있어 지원했습니다.

한국장례문화진흥원 소속 야간전담팀에 근무하며 낮에는

공부하고 밤에는 일하는 삶을 살았습니다. 방송통신대학원 입학 후에도 그러한 패턴은 계속 되었는데, 가족복지 관련 과목을 수강하면서 그와 관련된 활동을 해보자는 결심을 했습니다. 그래서 퇴근하고 낮에 비는 시간에 홀로 사는 어르신들 찾아뵙는 봉사활동을 시작했습니다. 약 7년 동안 봉사활동을 해왔는데, 몸은 조금 힘들었어도 석사학위 논문을 쓰는 데 큰 도움이 되었습니다.

또한 근무하던 회사 특성상 고독사, 무연고 사망자 이슈를 지속해서 접했는데, 이러한 이슈가 방송통신대학원에 진학하면서 제가 연구해야 할 주제가 되었습니다. 깊이가 깊지 않지만, 고독사 관련 논문 6편, 무연고 사망자에 관한 논문 2편 등을 쓰며 깊진 않지만, 연구를 위한 고민을 지속해왔다고 생각합니다. 특히 고독사 관련 논문은 문과적 시선을 비틀어 예방학적 측면에서 어떻게 접근할지 고민하기도 했습니다.

이를테면 심혈관계 문제 등이 순간적으로 심정지를 유발하여 고독사로 이어진다고 한다면, 심혈관질환 위험을 높이는 다양한 요인들을 탐구하는 것도 의미 있다고 봤던 것입니다. 흥미롭게도 방송통신대학원 졸업 이후 방송통신대학교에 편입하여 보건학, 통계학을 전공한 경험이 그러한 관점으로 문제를 바라보게 된 계기가 됐습니다.

누군가 대학원 생활에서 가장 중요하게 생각하는 것이 무엇이냐고 묻는다면 저는 두 번 생각하지 않고 논문 리뷰라고 대답할 것입니다. 대학원생이 아니라면 논문은 뭐가 쓰여겨 있는지 모르는 '어려운 것' 그 이상도 그 이하도 아니지만 대학원생이라면 논문은 우정을 나누는 친구이자 사투를 벌이는 적, 그렇게 표현하고 싶습니다.

이러한 논문을 친구와 우정을 나누듯 편안하게 리뷰하고 싶다면 논문을 읽는 목적을 분명히 해야 할 것입니다. 발표를 위해 논문을 리뷰해야 한다면 해당 논문 전반을 관통하는 주제와 연구방법, 연구결과, 결론을 보아야 합니다. 만일 학위논문의 주제를 준비한다면 리뷰하는 논문의 저자가 어떤 연구방법을 채택했는지, 그 결과를 어떻게 표현했는지(표, 그래프) 확인하는 게 좋습니다. 무엇을 이야기하는지 모른다며 피하기만 한다면 검증된 노하우를 놓치는 우를 범하고 말 것입니다. 다만 논문 작성 시점에서는 모든 논문을 앞서 이야기한 방식대로 리뷰할 순 없습니다. 아마 다들 알고 계시겠지만 인용할 논문들은 인용할 만한 결과나 제언이 있는지 중심으로 보는 게 좋습니다. 여기에 해당 논문에서 인용한 영어권 국가 논문 제목을 확인하여 구글 스칼라 등에서 원문을 찾아 인용된 내용이 있는지 검토해 보시길 바랍니다. 만일 검토한 영어권 국가 논문을 참고문헌으로 인용한다면 더욱 훌륭한 결과물을 만들어 낼 것입니다. 아! 리뷰한 논문들은 반드시 아래아 한글이나 워드로 표를 만들어서 제목, 인용할 내용, APA 출처표기법 등을 정리해두면 유용합니다. 그리고 표나 그래프도 캡처해두면 좋겠지요?

돌이켜보면 가족생활교육프로그램을 수강했을 때가 가장 즐거웠습니다. 온라인 학위과정 특성상 조를 이뤄 과제를 수행하는 경우는 많지 않은데, 가족생활교육프로그램을 수강하면서 LMS 및 오프라인으로 조별 모임 기회가 많았습니다. 당시 다양한 분야에서 활동하는 선배·동기 원우님들을 뵙고 의견을 나누며 복지 분야에만 매몰되었던 가족학에 대한 제 시선이 한층 넓어진 계기를 마련할 수 있었습니다.

반면 가장 힘들었던 점은 과제였습니다. 특히 이론 중심으로 과제 주제가 제시되는 여타 과목들과 달리 상담이나 생활설계, 영양특론 과목들은 현업 종사자 입장에서 기획하는 형식의 과제를 제출해야 했던 것으로 기억합니다. 그때가 가장 힘들지 않았나 생각합니다. 하지만 정말 소중한 시간이었습니다.

졸업시험과 영어시험, 정말 어렵게 느껴지시지요? 제가 졸업한지 오래되어 도움이 될 내용인지 모르겠지만, 저는 전공에 관한 주요 키워드를 뽑아내어 이를 학술영어로 정리해 두었습니다. 영어시험을 치를 때 모든 단어와 문장형식을 분석하며 지문을 해석할 수도 있지만 주요 키워드를 보고 어떤 지문인지 추론할 수 있습니다. 어떤 방법이 좋은지는 직접 판단해보고 효과적인 방법을 선택하여 준비하셨으면 합니다.

그러나 무슨 일이든 체력이 뒷받침 되어야 누릴 수 있습니다. 방송통신대학교 대학원에 입학하기 직전인 2014년 2월에 한국외국어대학교 경영대학원 석사학위 등 4개 학위를 동시에 취득했습니다. 그때 당시 만 27세였으니 어느 정도 체력이 뒷받침되기도 하였지만 주 4회 이상 유산소 운동을 즐기며 자기관리를 했던 것이 학위취득에 도움이 되었습니다. 방송통신대학원에 입학한 후에도 운동 등을 통한 자기관리를 게을리하지 않고 학업에 매진하였습니다. 다양한 노하우가 있겠지만 저는 체력관리를 하시며 학업에 매진하시라 말씀드리고 싶습니다.

 과목도 이수 했겠다, 졸업을 위한 시험도 끝났겠다, 박사 과정은 어떨까? 생각이 들 것입니다. 졸업을 두 달 정도 남겨 두었을 때, 성균관대 일반대학원에서 박사과정생을 모집했습니다. 그때 저는 '설마, 합격하겠어?'라는 생각과 다음 연도 전기모집에 참고할 경험을 미리 해보고자 소비자가족학과에 지원했는데 덜컥 합격하였습니다. 합격 소식은 곧 학과 사무실에도 흘러 들어갔고, 당시 석사학위논문 지도 교수님께 자그마한 꾸지람을 들었습니다. '상의 좀 하고 지원하지!' 돌이켜보면 저의 어리석음과 그리고 박사진학에 대해 좀 더 신경 써주고 싶으셨던 교수님의 애정을 느낄 수 있던 헤프닝이었습니다.

 방송통신대학원 생활과학과 커리큘럼은 어디에 내놓아도 절대 뒤처지지 않고 이를 훌륭하게 수행해낸 원우님들 또한 뛰어난 분들입니다. 그러나 박사과정 지원시 자대 석사 과정생이나 일반대학원 출신 지원자와 비교했을 때 불리한 것도 사실입니다. 이를 극복할 다양한 방법들이 있지만, 개인적으로는 논문실적을 꼽고 싶습니다. 논문은 연구자의 정체성을 나타내는 지표입니다. 석사과정도 그렇지만 특히 박사과정은 개념을 달달 외워 좋은 성적을 받는 게 아니라 끊임없이 고민하고 연구하는 것에 진정한 목적이 있으므로 논문실적이 있다면 연구자로서 정체성을 평가받을 수 있습니다. 박사과정 진학을 희망한다면 석사학위 논문을 쓰시길 바라며, 기회가 된다면 학술지 논문이나 학술대회 포스터 논문경험도 해보시길 권합니다.

학위 수집가라는 시기 어린 소리를 들으면서도 일과 학업을 지속적으로 병행하며 직장에서도 연구에서도 충실한 삶을 살아왔습니다. 또한 방송통신대학원 진학 후 10년간 지역사회에서 봉사활동을 하며 제가 일·학습을 병행하며 배워온 것을 활용할 소중한 기회를 만들어가고 있습니다. 앞으로도 그럴 것이며 조금 더 욕심낸다면 제가 쌓아온 것들을 다른 이들에게 전달할 기회를 얻고 싶습니다.

최근 저는 장례서비스 분야의 직업능력개발훈련교사 교육과정에 합격하여 이수중에 있습니다. 추후 박사학위 취득 및 사회복지 분야 직업능력개발훈련교사 교육과정에도 도전하여 다양한 전공 및 분야를 강의할 수 있는 이른바 삼도류형 삶을 살고자 합니다.

많은 이들이 온라인 학습효과에 의문부호를 붙이고 학위에 대한 권위성을 약하게 보는 경향이 있습니다. 그래서 '나도 방송대나 다녀볼까?'라며 쉽게 생각하기도 합니다. 하지만 돌이켜보면 방송통신대학원을 비롯하여 제가 이수한 모든 온라인 교육과정은 저의 직무역량을 향상한 소중한 기회였습니다. 경희대에 재학중이던 시절을 비롯하여 군에서 장교로 근무했던 때까지 저는 간단한 보고서조차 구성할 역량이 없는 속 빈 강정과 같았습니다. 하지만 방송통신대학원 등 온라인 학습을 통해 끊임없이 과제 보고서를 만들고 제출하면서 그와 관련된 역량을 키울 수 있었습니다.

현재 저는 박사과정 수료 후 본업 이외에 학점은행제 교강사로 등록되어 직접 강의는 하지 않지만, 온라인으로 사회복지학 교과목을 운영하는 역할을 하고 있습니다. 운영업무 중 하나가 과제 채점인데, 과제 채점을 할 때마다 보고서의 형식과 참고문헌 인용을 강조하면서 학위취득도 좋지만 이러한 부분들을 염두에 두고 학위를 취득한다면 얻어가는 것이 많을 것이란 점을 강조합니다. 방송통신대학원과 대학교의 각 교과목에서 제시하는 과제 주제는 매우 심도 있고 보고서 형식을 갖춰야 좋은 평가를 받을 내용들로 구성되어 있습니다. 이 점을 고려하여 방송통신대학원이나 대학교가 갖는 장점을 한껏 누리며 개인의 역량을 높이십시오.

제 삶에 있어 방송통신대학원 졸업은 잘한 것 중 하나로 생각합니다. 방송통신대학원에 진학하고 관심 분야를 어떻게 연구해야 하는지 진지하게 생각할 기회를 얻었습니다. 또한 재학 중에 부족한 복지공부를 보충하고자 홀로 사는 어르신들을 찾아뵙는 봉사활동을 하며 1인가구와 관련된 다양한 연구 주제를 생각할 수 있었습니다. 덕분에 박사과정에 진학한 이후에 한국연구재단 등재학술지에 12편의 논문을 게재했습니다. 이를 바탕으로 노인의날 유공자로 선정되어 보건복지부 장관 표창을 받았습니다. 만일 방송통신대학원에 진학하지 않았다면 어땠을까요? 어떤 기회도 제게 오지 않았을 것입니다.

그럼에도 무엇이 되었든 체력이 뒷받침 되어야 한다는 점, 잊지말고 학업에 임해주시길 바랍니다. 인생의 이모작을 준비하는 중·장년층에게도 아직 도화지처럼 그려야 할 것이 많은 청년들에게도 학위취득은 목적이나 도구가 되어야지, 목표가 되어선 안 됩니다. 학점 평점취득도 마찬가지입니다. 훌륭한 학점으로 제때 졸업한다면 그것만큼 멋진 일도 없지만 그로 인해 학습자 자신이 번아웃되어 애써 학습한 기술과 취득한 학위를 활용할 수 없다면 그것만큼 안타까운 일도 없을 것입니다. 앞서 사회복지학 교과목을 운영한다 언급한 바 있습니다. 참고로 학점은행제로 사회복지학 학위를 취득할 때 평점이 4.5점 만점에 3.06점이었고 방송통신대학원 석사과정에서는 평점 4.0점을 간신히 맞추고 졸업했습니다.

평생학습은 취미나 여가가 아닌, 개인의 삶을 설계하기 위한 필수의 개념으로 자리 잡아가고 있습니다. 각자가 목표하는 바는 우리가 생긴 모습만큼이나 다양하고 우리 사회를 풍요롭게 하는 원동력이 된다고 믿습니다.

보다 생동감 있고 더 나은 내일을 위해 오늘도 열심히 학업에 임하는 원우님들을 비롯한 국립 한국방송통신대학교의 모든 재학생을 응원합니다. 감사합니다.

'아직 오지 않은 날을 위한 초대'

가정복지상담학전공 오은경(17기)

가을이 되니 무엇인가 남기지 못한 것에 대한 아쉬움이 밀려옵니다. 문밖으로, 창문 밖으로 보이는 소홀히 다뤄진 꽃들도 미소를 건네주는 가을입니다.

저는 코로나로 인해 대면 수업보다는 대부분 온라인으로 강의를 들으며 대학원 과정을 마쳤습니다. 생활과학부 17기 졸업생이며, 흔히 '코로나 학번'이라고 불리는 세대에 속합니다.

국립 한국방송통신대학교 대학원 입학을 결심하게 된 데에는 늘 응원과 지지를 아끼지 않는 사랑하는 남편과, 출석 수업을 들을 때마다 꾸준한 대학원 안내와 격려를 해주신 박은정 교수님 덕분이었습니다. 그리고 묵묵히 제 시간을 여유 있게 기다려 주는 친구들 덕분이기도 합니다.

더 확실한 진학 동기는, 대학 졸업을 해도 어느 곳에도 취업할 수 없다는 현실에 조금 더 전진!!! 을 하자는, 그래서 뭔가 그 너머로 가 보자는 호기심의 발동이었습니다.

대학원 졸업 이후 저의 경우, 할 수 있는 일들의 범위가 넓어졌습니다. 먼저 학부 튜터 지원 자격이 되었습니다. 튜터 지원을 하여 두 학기 동안 튜터로 활동을 했습니다. 튜터는 대학원 졸업 이후 저의 1차 목표였습니다. 매우 즐겁고 성취감도 있는 일입니다. 오래 하기에는 많은 시간을 투자해야 하는 일이어서 저는 두 학기 정도 체험한 것으로 만족합니다.

 졸업 후에도 자격증 취득을 위해 지속적으로 학업을 이어 갔고, 그 결과 사회복지사와 평생교육사 자격증을 취득하게 되었습니다. 사회복지 실습을 진행하던 중, 기관의 대표님께서 일하자는 제안을 주셔서 사회적 협동조합의 이사로 취임하게 되는 경험도 했습니다. 석사 졸업 후, 학부 튜터의 경험을 인정받았고, 마침 기관의 평생교육시설 인가와 맞물려 자격이 필요하여, 평생교육사 공부를 계속하여 자격증을 취득할 수 있었습니다.

 10년 전 제 꿈은 죽음학 강사가 되는 것이었습니다. 치매에 걸리신 시어머니와 함께 살게 된 어느 날, "죽을 때 아파?"라는 질문을 하셨고, 그 해답을 찾아보려던 중 심오한 학문인 죽음학에 관심을 가지게 되었습니다. 인터넷을 검색하여 알려 드리고, 스님들의 윤회에 대한 책들을 찾아 읽어 드리기도 했습니다. 그러나, 저의 부족함으로 충분한 해답을 어머님에게 못 해 드려 안타까웠습니다.

 웰빙이 트랜드였던 그 시절, 웰빙을 넘어 웰에이징과 웰다잉에 관심을 가지게 되었습니다. 이 흥미로운 학문을 강의하고 싶은 마음에 대학원에서 공부하게 되었습니다. 대학원 졸업 이후, 웰다잉 강사로서 자격을 갖추기 위해, 많은 시간과 비용 그리고 노력을 쏟았습니다. 그로 인하여 웰다잉과 관련된 자격증을 취득하여 객관적으로 저를 증명하게 되었습니다. 지금은 웰다잉 전문 강사로 노인대학과 복지관 그리고 평생교육원 등에서 강의를 하고 있습니다. 웰다잉 강의 중 가정복지 상담학의 전공 지식을 기반으로 한 상실과 애도, 그리고 노인의 이해와 성공적인 노화를 주제로 강의하고 있습니다.

활동의 폭이 확장되면서 세상을 보는 시각도 더욱 넓어지고 깊어졌습니다. 이는 단순히 학문의 영향만이 아니라, 시간이 저에게 주는 소중한 선물이라 생각합니다. 그 시간 속에서 여러분을 만나 함께 성장해 나가고 있는 것에 감사드립니다.

제가 대학원 교과목 중 가장 흥미를 느끼고 반드시 도전하리라 생각하여 수강한 과목은 연구 방법론이었습니다. 이 교과목은 사고의 다양한 방법을 탐구할 수 있도록 사고의 틀과 모습, 그리고 원인과 결과에 대한 객관적 사실들을 도출할 수 있는 능력을 키워 주었습니다. SPSS를 다운받아 많은 설문들을 분석한 덕분에 학업 성취도가 향상되었고 자신에 대한 자기 효능감 또한 높아졌습니다.

연구 방법론은 "사회는 더불어 사는 것"이라는 진리를 더욱 절실히 느끼게 했습니다. 소논문을 작성하기 위해 질문지를 만드는 과정에서, 사회 현상이 결코 이미 증명된 형이상학적인 이론처럼 단순하지 않다는 사실을 알게 되었습니다. 학문과 현실 사이의 차이라 생각합니다. 비록 이 교과목에서 좋은 점수를 받기는 어려울 수도 있겠지만, 저는 여러분께 꼭 학습해 보기를 권장합니다. 이 과목을 통해 학습하게 되면 제가 말하고자 하는 의미를 깊이 이해할 수 있을 것입니다. 도전!!! 파이팅!!

저는 지속적으로 일을 하기보다는 몰아서 하는 편입니다. 공부 역시 같은 방식으로 진행하는데, 우리가 중년이라는 점을 인지해야 합니다. 아니 인정하고 시작하시기를 바랍니다. 젊은 시절의 자신을 떠올린다면 여러 번의 수정이 필요할 것입니다. 중년이 되면 결정 지능은 낮아지고 유동 지능은 상승하게 됩니다. 암기력은 다소 떨어지는 것이 자연스러운 현상이고, 이해력과 문제 해결 능력은 오히려 향상된다는 뜻입니다. 이러한 변화를 잘 이해하고 받아들이는 것이 중요합니다.

메타 인지, 즉 특정 문제를 해결하기 위해 문제를 인식하고 그에 따른 목표를 설정한 후, 해결 과정에서 자신을 모니터링하고 조정하는 과정에 대한 자각이 필요합니다.

우리 인생에 비결이나 비법이 없듯이 학업에도 확실한 노하우는 없습니다. 특히 일을 하면서 대학원의 학습 과정을 잘 해내는 것은 쉽지 않지만, 자신만의 목표가 설정되어 있다면 성취를 위한 집중력을 발휘할 수 있습니다. 심지어 우수한 성적도 가능하죠! 저처럼이요~^^ 아자아자!!!

졸업을 위한 영어시험에 대한 부담은 대학원 면접 때부터 교수님께 드렸던 질문이었습니다. 대학원 공부를 하면서 우리의 능력이 생각보다 훨씬 우수하다는 것을 여러 번 느껐습니다. 선배들의 노하우를 전수하고, 긴 시간의 투자로 반복 학습을 통해 영어시험을 통과 후 5학기에 졸업하는 비결이 여기에 있습니다. 이 과정에서 앞서 언급한 결정 지능과 유동 지능에 대한 이해가 필요합니다. 무한 반복이 필요합니다.

저는 저를 과신한 탓에 영어시험과 종합 시험을 한 번씩 실패한 경험이 있습니다. 중년의 대학원생이라면 반드시 갖추어야 할 덕목은 바로 겸손입니다. 어떤 마음의 상태이든, 시험을 보는 학생이라는 본분을 잊지 말고, 답안지 작성에는 정성과 겸손이 담겨야 합니다. 서술형 문제에 대해서는, 당신의 사회적 지위가 어떠하든 현재 대학원에서는 학생이라는 사실을 잊지 않기를 바랍니다. 글은 생각보다 섬세하여 우리 생각의 깊이를 잘 나타내도록 기록하게 되어 있습니다. 높은 점수에 대한 작은 팁으로, 20% 정도 점수를 더 획득하는 데 겸손은 도움이 될 수 있습니다. 예를 들어, 59점으로 통과되지 못하는 것보다 61점으로 통과된다면 결과는 완전히 달라집니다. 이 차이는 자신의 위치를 파악하는 데서 시작됩니다. 그러니 자신을 냉정하게 바라보면서 믿음을 가지고 계속 도전하시길 바랍니다.

요즘 저는 자기 암시와 긍정 확언을 실천하고 있습니다. 한국방송통신대학교에 다닐 때 출석 수업 받으러 학교에 나갈 때, 저는 항상 정장 차림으로 가곤 했습니다.
시력이 좋지 않아 강의실 맨 앞에 앉기 위해 앞문으로 들어가면, 학생들이 매번 저에게 인사를 합니다. "교수님, 안녕하세요~^^"라고 말합니다. 그럴 때 저는 웃으면서 "저도 학생입니다. 하며 더 깊이 고개를 숙여 인사를 합니다. 학생들은 교수님인 줄 알았다, 교수님처럼 보인다고 말합니다. 그러면 저와 학생들은 함께 웃으며 제가 고맙다고 말하곤 했습니다.

이러한 민망함을 몇 번 겪다 보니 "그럼 내가 진짜 교수가 되면 되겠구나." 하는 생각이 이어져 대학원 진학과 튜터로서의 활동도 가능했다고 생각합니다.

여러분은 메러비안의 법칙에 대해 들어보셨을 것입니다. 이 법칙은 말의 내용보다 시각적 및 청각적 요소가 더 중요하다는 것을 말합니다. 세상이 불공평하다는 것은 이미 여러 번 경험하셨을 것이므로 이를 인정할 수밖에 없습니다. 사람의 이미지가 3초 만에 결정된다는 이야기가 있습니다. 이는 우리가 시각적 감각에 크게 영향을 받는다는 것을 의미합니다. 그렇다면 이 법칙을 충분히 활용할 수 있습니다. 교수가 되고 싶다면, 이미 교수의 자세로 학교에 나가고, 학습할 때도 "내가 교수라면 문제를 어떻게 낼까?"라는 시각으로 학습하신다면, 강의를 들으면서 문제들이 보이기 시작할 것입니다. 종합 시험에 저의 예상 문제가 단 한 문제 나오는 서술형 시험에 나온 적도 있고, 대부분 많은 예상 문제가 저를 기쁘게 만나 주어 좋은 성적을 거둘 수 있었습니다. 뇌는 본인이 관점을 바꾸고 노력하면 그 해답을 찾기 위해 다양한 방법들을 만들어 냅니다. 본인을 믿어 보시기 바랍니다.

한두 걸음 뒤에서 저를 바라보는 느낌은 처음엔 힘들고 어색했지만, 여러 번 반복을 하니 본인을 객관적으로 바라보게 됩니다. 저는 제가 대견합니다. 늘 도전하는 마음으로 잘 해왔다는 점에 대해 저 스스로 칭찬하고 싶습니다. 50대 중반에 시작한 대학원 공부 덕분에 첫 번째 목표인 튜터로 여러 번 활동할 수 있었고, 학생들에게 열심히 가르치고 상담하며 그 역할에 대한 궁금증은 모두 해소되었습니다.

그 다음 목표인 죽음학과 관련된 웰다잉 강의 중에서도 상실과 애도라는 주제로 현재 강의를 진행하고 있습니다. 이 부분에서도 천연비누를 20년간 만들고 강의했던 것에 착안하여 아로마 향기와 웰다잉을 접목하였습니다. 그리하여, 저만의 창의적인 발상이 추가된 웰다잉 강의의 독특한 새 장르를 만들어냈습니다.

또한, 그동안 학습하며 받은 것들을 사회에 환원하고 싶은 마음이 있었는데, 그 작은 목표도 이루어졌습니다. 현재, 지역아동센터의 복지 교사로 지원하여 근무하고 있습니다. 저는 이 일을 기쁨의 봉사로 생각합니다. 아이들이 사회의 기둥이 되는 뿌리라고 믿기에 아동 교육은 매우 중요합니다. 무보수로라도 봉사하고 싶었는데, 그에 따른 보수도 있으니 더욱 행복합니다. 지금 매우 즐겁고 행복하게 일하고 있습니다.

저는 사람들이 끊임없이 배움을 유지해야 한다고 굳게 믿고 있습니다. 대학원에 입학하기 전까지는 자신의 미래를 정확히 알기 어렵습니다. 저 역시 그런 경험을 했습니다. 졸업 후 사회적 위치나 하는 일에 큰 변화가 없더라도, 우리는 이미 성장하고 있다는 사실을 깨닫게 됩니다.

대학원 생활은 단순히 지식과 스펙을 쌓는 것으로 끝나지 않습니다. 대학원 동기들과 즐거운 소통은 그들의 삶을 통한 간접 경험을 체험하며, 그 과정에서 자신의 시야와 생각이 확장됩니다. 이러한 과정을 지나며 자연스럽게 태도와 관점도 바뀌는 것을 느끼게 됩니다. 철학이란 것이 다소 거창하게 느껴질 수 있지만, 많은 학문은 철학적인 면이 내재하여 있습니다. 인생에서 어떤 문제가 발생했을 때, 그 문제를 대하는 태도와 처리 방식에서 그 사람의 철학적 수준이 드러납니다. 보다 합리적이고 모두를 배려하는 합당한 방식으로 문제를 해결할 수 있는 능력이 중요한 것입니다.

'아직 오지 않은 날을 위한 초대'

지금 제가 쓰고 있는 글 제목입니다.
대학원에 입학하면서 졸업 시점의 이야기일 수도 있고, 혹은 그 이후의 나에게 보내는 초대일 수도 있습니다. 초대장을 작성하기에 앞서, 자신의 새로운 명함 만들어보기를 권장합니다. 명함은 나를 나타내는 매우 함축적인 표현이기 때문입니다. 졸업 후 내 명함에 어떤 항목을 추가할 것인지, 나를 어떤 사람으로 표현하고 싶은지를 고민하는 시간은 필요합니다.

그리고 나 자신에게 보낼 초대장도 작성해 보기를 강력히 권합니다. 목표가 있는 사람과 없는 사람의 차이는 분명하고, 그 목표를 기록하는 사람과 그렇지 않은 사람 간의 차이는 더욱 분명합니다. 기록하는 사람의 가능성이 훨씬 더 커지기 때문입니다. 하버드대의 실험에서도 이러한 결과가 나타납니다.

또한, '적자생존'의 원칙을 잊지 말아야 합니다. 강자가 살아남는 것이 아니라 환경에 적응하는 사람이 생존합니다. 유연한 자세로 환경에 적응하고, 끊임없이 배우며 실천하는 것이 중요합니다. 목표를 정하고 기록하는 것은 적자생존의 기본입니다.

제가 말씀드리고자 하는 '아직 오지 않은 날을 위한 초대'에서 기억해야 할 세 가지는 다음과 같습니다.

1. 나는 학생이다. 내 위치를 파악하고 학습할 때는 젊은 시절을 잊고 겸손함을 유지하자.
2. 메러비안의 법칙, 외모가 경쟁력이다. 나를 상품처럼 잘 가꾸고 만들어 가자.
외모를 잘 관리하는 사람은 내면도 잘 관리하는 법이다.
3. 적자생존의 법칙. 유연하게 적응하고, 명함과 초대장을 만들자. 기록은 나를 기록한 대로 만드는 마법이 있다. 가

장 중요한 것은 내가 나를 의심 없이 믿어주는 것이다.

2024년의 끈적한 여름도 어느 새 보송한 가을에게 자리를 내어주고 물러났습니다.
이 습한 여름이 계속될 것만 같던 시간이었지만, 가을은 결국 찾아왔습니다. 우리의 노력한 시간은 결코 나를 배신하지 않습니다. 신은 시간을 아끼는 사람을 맨 앞에 둔다고 합니다.
세상에서 공평한 것은 시간뿐입니다. 내가 지나온 시간에 복수 당하지 않으려면, 결코 돈으로도 살 수 없는 그 시간의 활용이 중요합니다. 추운 겨울이 오기 전에 부지런히 준비하는 가을로 살아가고자 합니다.

추신: 19기 후배들에게 진심으로 깊은 감사를 전합니다.

별다른 추억 없이 졸업할 뻔했던 17기이기에 주저 없이 밖으로 나올 수 있는 상황을 만들어 주신 모든 후배에게 감사의 인사를 전합니다. 단지 선배라는 이유만으로 많은 사랑을 베풀어 주신 우리 19기 후배들 덕분에 뜻깊은 순간들이 가득했습니다. 좋은 곳으로 참 많은 초대를 해 주셨습니다.

부족한 선배임에도 늘 반갑게 웃으며 봉사하는 넉넉한 서재호 회장, 해박한 역사 지식으로 문화 체험을 안내해 주시는 달변가 김삼곤 부회장, 저를 만나기 이전과 이후로 삶이 달라졌다고 얘기하는 사랑스러운 송선영 후배, 그리고 졸업 후에도 뜻깊은 취지의 프로젝트를 함께하자는 제안을 주신 대표 작가 심석영 후배, 모두에게 깊은 감사를 전합니다.
후배이지만 대선배 같으신 우리 19기 후배들, 사랑합니다!

나의 선택이 나를 완성한다

자네의 용모와 머리 모양이 자네를 드러내는
것이 아니라네. 선택의 능력이야말로 자네가
누구인지 온전히 드러낸다네. 선택이 아름다우면,
자네 또한 그렇게 될 것이네.

〈에픽테토스, 대화록〉

'행복합시다요'

식품영양학전공 함금순(17기)

대학원 입학 전 그리고 지금도 하는 일은 방과후 초등 돌봄 전담사 일을 하고 있습니다. 사회복지사, 보육교사, 요양보호사, 실기 교사 교원자격증 등을 취득하였으며, 대학원 졸업 후 영양사 자격증을 취득하였습니다.

초등 돌봄 보육을 하면서 학생들에게 급·간식을 같이하는 시간이 있어, 2001년 취득한 한식 조리사와 2005년 제빵 자격증으로는 부족하다고 생각하여 관심이 있던 방송대 식품영양학과에 편입하여 졸업하였습니다. 졸업 후에도 공부가 부족하다고 생각되어 미루어 오다 직업을 계속 지속하면서 공부할 수 있는 대학원을 선택하였습니다.

대학원 졸업 후 직장은 정년퇴직 하였으나 부족한 공부와 그 외 배우고 싶은 것들로 매일 매일을 채우고 있습니다. 현재는 방송대 농학과 편입하여 4학년 마지막 학기를 맞고 있습니다.

대학원을 졸업하고 보니 예전보다 폭 넓게 많은 사람과 공유하고 있다고 느낍니다. 퇴직 후 평생교육관에 수업을 들으며, 많은 사람과 소통의 기회를 가지며 언제나 자신감 있는 나를 발견합니다.

대학원 재학 중 내내 즐거움보다 힘든 점이 많았다고 생각했습니다. 1학기를 끝내며 영어 시험에 응시하였는데 합격하였고, 그 후 대학원 공부를 하는데 조금 더 수월하지 않았나 생각합니다. 무엇보다도 같은 17기 생활과학과 대학원생들의 도움을 많이 받았다고 느낍니다. 원우들과 자주 소통하며, 서로에게 관심을 기울였고, 서로가 발전하는 모습을 보며, 더 값진 인생을 살고 있는 모습에 박수를 보냈습니다. 이러한 모든 것이 원우들간의 소통과 유대관계 덕분에 발전하는 계기가 된 것 같습니다.

다들 '방송대학원에서 어떻게 공부해야 졸업을 할 수 있을까?'라고 물어봅니다. 저는 그들에게 이렇게 말해주고 싶습니다.

그냥 열심히 하세요. 하다 보면 부족한 면이 생기고, 그 부족한 부분을 메우기 위해 나름으로 열심히 하게 되며, 동기간의 소통의 문을 두드리고 그러다 보니 누군가(원우님)는 나의 손을 잡아 언젠가 모르게 졸업의 문턱에 있었습니다.

문득 17기 회장님의 권유로 처음 영어시험 보러 갔을 때가 생각나네요. 시험지를 받아 든 순간 앞이 깜깜했습니다. 정신 차리고 집중 또 집중해야만 했습니다. 아는 대로 단어를 연결하며 소신껏 성의를 다해 답지를 채웠습니다. 평소에도 영어 공부를 조금씩 공부를 하기는 했으나, 전공 영어는 조금 다른 감이 있었습니다. 지나고 보니 영어 공부보다 종합 시험이 더 힘들었던 것 같네요. 17기 원우님과의 동아리 수업과 같은 소통과 지속적인 관심의 연결로 졸업을 하게 된 것 같아 기쁩니다.

졸업하고 나서는 전공과 관련된 일을 하려고 노력 중입니다. 석사를 취득하고 나니 급여의 기준도 달라지고 지원할 곳도 다양해진 것 같아 나름 기분이 좋습니다. 물론 대학원 졸업을 위해 열심히 노력하였고, 그로 인해 자존감도 높아졌으며, 모든 일에 대해 좀 더 최선을 다하는 내 모습이 자랑스럽네요···. 하지만 대학원을 졸업한다고 해서 상황이 급박하게 바뀌는 것 같지는 않습니다. 하지만 목표를 세우고 하나씩 실천하다 보면 그런 모습이 대학원 공부할 때의 내 모습과 비슷함이 보여 결국은 해내고 있더군요.

예를 들면 2010년부터 파주시 농업기술센터에서 압화 연구회 활동과 그 외 개인 레슨으로 취미생활이었던 압화가 농림축산식품부 장관상을 수상하였습니다. 그 후 2024년에는 여러 번의 협회전을 가졌고, 현재도 협회전을 하고 있습니다. 아직 본업이었던 초등 돌봄 전담사일도 하고 있습니다. 퇴직 후 평생교육사 실습을 갔을 때 나와 함께 했던 초등학생들이 고등학생이 되어 만났습니다. 열심히 공부하는 선생님의 모습이 자랑스럽다고 이야기해 주었습니다. 나는 너무 뿌듯함을 느꼈습니다. 열심히 살다 보면 좋은 일은 생기게 되어 있습니다.

19기 원우회원님들의 만남도 나에게는 더없이 아름다운 행보였다고 생각합니다. 19기 회장님을 처음 만나 뵈었을 때의 그 생기 넘치는 그 모습은 지금 생각해도······
17기, 18기, 19기 그 외 많은 원우님 감사합니다. 특히 19

기 회장님 너무 감사합니다.

 감사합니다. 감사합니다. 많은 날을 17기, 18기, 19기 원우님들과 소통 할 수 있어서 즐거웠고 행복했습니다. 많은 좋은 일들이 모두에게 가득했으면 좋겠습니다.

 노력하고 이루어지면 또한 즐겁습니다.
모두 행복합시다요.

'기지개 켠 나의 호기심'

가정복지상담학전공 김현숙(17기)

한가로운 어느 날 밤 전화기 너머에서 들리는 반가운 목소리! "선배님, 저 심석영이에요." 반가운 목소리와 함께 지난 몇 년 과거로의 추억여행을 시작하게 되었습니다.

언제나 처음은 설렘보다는 걱정이 앞서는 나이기에 이 글을 쓰면서도 역시나 다른 작가님들께 폐를 끼치는 건 아닌지 일단 걱정을 앞세웁니다.

저는 2020년도에 17기로 대학원에 입학하여 가정복지상담학을 전공한 김현숙입니다. 뜻이 있어 상담학을 시작하였으나 현재는 전공과는 관련성이 전혀 없는 일을 하고 있습니다.

저는 패션 디자인 관련 일을 하고 있고 그 분야에서는 매우 인정받는 전문성을 지니고 있습니다. 자주 듣게 되는 의문 가득한 질문은 '왜 직업과 관련성 높은 패션을 전공하지 않느냐'입니다. 그러면 나의 대답은 "그 분야에서는 내가 교수급이야"라고 우스갯소리를 하곤 합니다.

상담학을 공부하게 된 계기는 잠시 휴식을 취하려고 일을 쉬던 중에 우연히 강사 제안을 받게 되면서 새로운 방향으로 관심을 가지게 되었습니다. 강의할 분야는 시니어를 대상으로 하는 시니어 강사였습니다. 그동안 해오던 일과는 전혀 다른 분야여서 큰 노력이 필요했고, 차츰 그 일을 계속하기에는 부족한 부분이 너무 많다는 것을 느끼게 되었습니다. 그래서 그때부터 강사 활동에 필요한 다양한 자격증들을 따기 시작했고 시간에서 좀 자유로운 방송대를 택해 대학 공부도 다시 시작하였습니다.

새로운 무언가를 시작한다는 것은 많은 설렘과 함께 두려움도 동행합니다. 그러나 그 두려움을 견뎌내지 못하면 언제나 제자리걸음에서 헤어날 수 없음을 서서히 깨닫게 되면서 그동안 두려움에 밀려 아무것도 시작하지 못했던 나를 되돌아보게 되었습니다. 그때부터였던 것 같습니다. 50년을 넘게 잠자고 있던 내 안의 호기심이 기지개를 켜면서 나는 새롭게 다시 태어났다고 말합니다.

그러나 남편의 사업이 어려워지면서 내게 도움을 요청하여 어쩔 수 없이 꿈꾸던 제2의 직업인 시니어 강사 활동을 중단하고 남편의 사업을 도와 다시 원래의 직업으로 돌아가게 되었습니다. 강사 활동은 포기하였으나 포기할 수 없는 것은 어렵게 두려움을 떨치고 시작한 학업이었습니다. 학부를 무사히 마무리할 즈음 새로운 호기심의 꿈틀거림을 외면할 수 없어 대학원의 문을 두드렸는데 두근두근!!! 문이 열렸습니다.

하지만 합격의 기쁨도 잠시 새로운 도전은 고통과 두려움이 동반한다는 것을 다시 확인하는 순간이 도래하였습니다. 과제에 대한 압박감은 잠을 설치게 하였고, 아직 다가오지 않은 외국어 시험과 종합 시험 등 모든 대학원 활동이 고통으로 다가오는 첫 학기였습니다.

더구나 입학과 동시에 찾아온 코로나19는 학교 및 선후배와의 간극을 만들었고, 아직 줌의 활성화가 이루어지지 않은 상태인지라 첫 학기를 우여곡절 끝에 무사히 마무리하고 2학기를 맞이하면서 줌이 활성화되고, 교수님과 대학원 동기님들의 얼굴을 볼 수 있는 시간이 찾아오면서 대학원 생활에 안정을 찾을 수 있었던 것 같습니다.

방송대대학원을 선택한 첫 번째 이유는 시간의 자유로움이라고 할 수 있습니다. 직장인들에게 일 외에 활용할 수 있는 시간은 매우 중요한데 방송대는 그러한 부분에서 매력적이라고 생각됩니다. 두 번째 이유는 늦은 나이에 취미처럼 부담 없이 할 수 있는 저렴한 등록금입니다. 아무리 시간이 많고 공부가 좋아도 등록금에 부담을 느끼면 쉽게 접근하기 어려웠을 것이고 이러한 점에서 방송대대학원은 나의 호기심을 일깨우고 꿈을 실현해 준 고마운 대학원입니다. 혹시 대학원 진학을 망설이고 있는 분이 계신다면 저는 적극 추천합니다. 망설이지 마시고 도전하여 부딪혀 보시라고, 졸업모를 하늘 높이 던지는 순간 자신의 선택이 옳았음을 가슴 깊이 느끼시게 될 거라고 말하고 싶습니다.

대학원을 망설이시는 분 중에 논문에 대한 걱정으로 망설이시는 분들이 많은 것으로 알고 있습니다. 저 또한 논문을 당연히 써야 한다고 생각하고 도전했습니다. 그러나, 방송대대학원은 논문에 대한 부담감은 내려놓으셔도 좋습니다.
저는 두려움이란 내가 경험해 보지 못한 모르는 일에서 생긴다고 생각합니다. 그런데 두렵다고 계속 모르는 상태로 살게 된다면 삶이 너무 우울하지 않을까요? 모르는 것에 대한 도전의 용기가 필요하다고 생각합니다.

 방송대대학원 동기님들은 대부분이 일과 학업을 병행하십니다. 저도 물론 직장과 가정, 학업을 병행하면서 늘 시간과 싸움하지요. 그러나 시간은 아무것도 하지 않는 사람도 똑같이 흘러갑니다. 따라서 저는 늘 시간을 버리지 않고 알뜰히 활용한 것에 대한 마지막 결과의 기쁨을 생각하며 힘든 과정을 이겨냅니다. 그 결과는 언제나 배신하지 않는다는 것을 믿기 때문입니다.

 지금은 대학원을 졸업하고 나의 취미활동에 도움을 얻고자 농학과 2학년에 편입하여 3학년에 재학 중입니다. 주변의 지인들은 말합니다. 힘들게 공부를 왜 계속하느냐고, 그러나 한번 시작한 공부는 중독처럼 헤어나기가 어려운 것 같습니다. 배움도 중요하지만, 같은 관심사를 가진 새로운 사람들을 만나 새로운 인연을 만들고 함께 하면서 새로운 추억을 만드는 일은 중년 이후의 삶에 중요한 활력소가 됩니다.
 대학원을 졸업한 후의 학부 생활은 매우 여유가 느껴집니다. 가끔 권태기가 찾아오기도 하지만 슬기롭게 헤쳐 나가는 지혜도 생긴듯합니다. 이처럼 두려움을 극복한 대가는 삶의 많은 부분에서 긍정적인 면모를 나타냅니다. 그동안은 제 안에 학력에 대한 일정 부분 자리하던 열등감이 대학원을 졸업하면서 그 열등감에서 해방될 수 있는 길을 열어준 것 같습니다.

대학원에서 수업은 내게는 모든 과목이 어려웠습니다. 그러나 그중 즐겁게 기억되는 과목은 '부모 교육 상담'이었습니다. 톡톡 튀는 교수님의 수업 방식이 다른 교수님들과는 달리 진짜 대학원 수업을 받는다는 느낌이 들었습니다. 그와는 반대로 너무 힘들었던 과목은 '연구 방법론'이었는데 주제 선택의 오류로 인해 과제 1, 2, 3을 처음부터 다시 제출해야 했던!! 그 또한, 지금의 나를 있게 만든 아름다운 추억으로 간직합니다.

대학원에서의 가장 난이도 상을 차지하는 부분은 종합 시험과 외국어 시험이라고 생각합니다. 그러나 막상 주어지면 다시 하게 됩니다. 한 번에 합격하면 정말 좋겠지만 실패하면 다음 기회에 또 도전하면 되지요. 저도 불합격의 쓴맛을 보았습니다. 그러나 걱정만 한다고 해결되는 것은 없다고 생각합니다. 실패를 발판 삼아 다시 뛰면 더 높이 뛰어오를 수 있듯이 재도전이라는 새로운 기회가 기다리고 있습니다. 천천히 하셔도 포기하고 안 하신 것보다는 장수 시대의 인생길이 훨씬 꽃길이리라 확신합니다.

지금 생각하면 에피소드이겠지만 그 순간은 정말 눈앞이 캄캄했습니다. 첫 번째 에피소드는 우여곡절 끝에 첫 학기를 무사히 마무리하고 열심히 영어시험 준비를 했습니다. 그리고 당당히 시험일에 긴장감 100배를 견디며 시험지를 받았습니다. 그런데 우리 동기님들 모두 정신력이 무너지고 말았습니다. 잘못된 정보로 인해 전공 두 과목을 공부해야 했는데 한 과목만 준비했던 것이었습니다. 그러나 지금은 웃으며 얘기할 수 있는 에피소드가 되었습니다.

두 번째는 종합 시험에 관한 이야기입니다. 정보가 부족했던 우리 기수는 이번에는 종합 시험에 도전하였습니다. 가족학 특론의 경우 시험 범위와 기출 자료, 수업 시간에 교수님이 유난히 강조하셨던 17세기 전 후반에 관한 비교에 대해 집중하여 공부하였습니다. 동기들끼리 "우린 17세기 전후에 대한 박사급이야"라고 말할 정도였습니다.

그런데 시험지를 받는 순간 또 한 번 정신적으로 무너짐을 경험해야 했습니다. 교수님은 우리가 상상하지도 않았던 부분에서 시험문제를 내셨던 것입니다. 우리 17기는 그렇게 우여곡절을 경험하면서 그래도 무사히 졸업 가운을 입었습니다. 지금도 동기들과 만나면 그때를 추억하며 많이 웃습니다.

아픔도 슬픔도 지나고 나면 모든 것이 지금의 나를 있게 한 아름다운 추억입니다.

시험을 준비할 때의 마음이야 늘 긴장되고 걱정 한가득하지요. 그러나 지난 나의 실패를 되돌아보며 말할 수 있는 것은 '설마 여기서 나오겠어?'라는 아니 한 마음은 접어두고 일단 시험 전 범위를 꼼꼼히 공부하는 것이 중요한 것 같습니다.

시험은 늘 통과만 되기를 바라지만 막상 낮은 점수로 통과되었을 경우 많은 아쉬움이 남는 것 같습니다. 특히 저는 종합 시험을 재도전 후 합격의 결과를 알았을 때 일단은 합격이라는 글자에 안도하였고 생각보다 높은 점수를 주셔서 뿌듯했습니다.

대학원 졸업 전후의 가장 큰 변화는 아무래도 자존감이겠지요. 내가 나를 존중하게 되고 어느 장소에서 누구를 만나더라도 석사 이전과는 다르게 좀 더 당당하게 행동할 수 있다는 것을 스스로 느낄 수 있고 사회에 대한 견해가 깊어졌다고 생각합니다.

하지만 대학원을 졸업했다 해서 일상생활이 특별히 달라진 것은 없습니다. 그러나, 내가 힘든 과정을 무사히 마무리하고 정신적으로 성숙하고 안정되었다는 자기만족으로도 충분하다고 생각합니다. 만학으로 하는 공부는 현재의 직업에 보탬이 되든가 아니면 자기만족으로 남는 것이 대부분이지만 대학원에 대한 꿈을 가지고 있다면 도전해 보시라 배움은 후회할 일은 아니라고 말하고 싶습니다.

위에서 말한 것과 같이 배움이 후회할 일은 아니고 또 삶이 길어진 현대사회에서 만학의 길이 남은 미래의 삶에 많은 도움이 되어 주리라 생각합니다. 그러나, 배움이란 사람마다 선호하는 차이가 있으므로 꼭 필요하지 않은 공부를 억지로 할 필요는 없다고 생각합니다. 그렇지만, 긴 여정이 남은 인생에서 현재에 안주하기보다는 미래의 자신을 위해 남은 삶이 유익하도록 무엇을 준비해 둘 것인가를 생각해 볼 필요가 있다고 생각합니다. 공부든 운동이든 취미활동이든 각자 자신에게 필요하고 맞는 방법으로 자신의 삶을 가꾸는 것도 한 방법이라 생각합니다.

저는 요즘 새로운 도전으로 시니어 모델에 도전 중이고, 연극도 참여해 볼 예정입니다. 궁금한 것에 대한 도전, 새로운 것에 대한 도전입니다.

 마지막으로 쏟아지는 정보의 홍수 속에서도 열정과 꿈이 넘쳐야 할 많은 청년이 안타깝게도 꿈을 잃고 미래를 포기하는 사례를 종종 보게 됩니다. 조금만 생각의 각도를 바꾸어 본다면 그 시선 끝에는 반드시 자신이 찾던 찬란한 미래가 기다리고 있음을 믿고, 힘들고 지치겠지만 용기 내어 부딪히고 도전하여 잃어가던 꿈을 다시 찾기를 기도합니다.
청년들이여 힘을 내시라!!!

※ 이 글을 쓰며 그동안 많은 시간 함께 해주시고 도움 주신 18, 19기 후배님들과 17기 원우님들께 진심으로 감사한 마음을 전해봅니다. 앞으로도 서로가 편히 기댈 수 있는 따뜻한 양지의 언덕이 되었으면 좋겠습니다.

'상담사 냄새'

가정복지상담학전공 김지연(17기)

누구도 예상치 못했던 코로나19는 이 시대를 살아가는 다양한 사람들 삶에 크고 작은 변화를 주었을 것이다. 초등학교에서 방과 후 수업을 하는 나는 3월 개학의 설렘을 갖기도 전에, 코로나19로 긴장을 이어갔다. 그리고 아침마다 교육부와 관련된 뉴스가 있나 검색하는 것으로 하루를 시작해야 했다.

2020년 3월 개학이 미뤄지고 4월부터 온라인 개학이라는 것을 하게 되었다. 학교에 계약직이던 나는, 학생들이 학교 등교로 수업하지 않으면 무급이었다. 온라인 개학은, 방과 후 지도로 생계를 이어가던 나에게는 큰 경제적 위기였다. 학교와 근로계약서를 쓴 상태라서 다른 곳에 취업도 불가했고, 학교가 정규 수업으로 바뀌면, 바로 다시 학교로 출근해야 했다. 그래서 다른 직장을 구할 수 없었다. 결국, 나의 자구책은 일용직으로 쿠팡을 나가는 거였다. 주간 근무가 7만 원 정도인데, 야간 근무는 10만 원을 넘게 받을 수 있었다. 나에게는 아이가 있었고, 힘이 들더라도 더 많은 수입이 필요했다. 지금 상황에서는 할 수 있는 일이 있는 것만으로도 다행이었다. 그러나 몸으로 많은 시간 일을 해 본 적이 없는 나의 팔다리는 내 마음처럼 씩씩하지 못했다. 밤새 연장근무를 하고, 다른 사람들이 출근하는 시간에 나는 아픈 다리를 절뚝거리며 퇴근해야 했다. 발바닥이 아파 족저근막염으로 치료까지 받았지만, 그래도 일을 할 수 있으니 밥을 먹고 살 수 있음을 감사하게 여겼다.

그러던 어느 날, 야간 일을 하는데 우리 조에 S 대학교 박사 과정을 공부한다는 남자가 왔다. 그는 직원으로 일하는 분에게 계속 야단을 맞았다. "좋은 학교 박사 공부를 한다는 사람이 어째서 중학교 밖에 나온 나보다도 일이 늦어." 이러며 유독 그를 많이 다그치며 일을 시켰다. 그 남자는 시간이 갈수록 표정이 어두웠고 힘들어 보였다. 그러다 잠시 물건이 나오지 않는 시간이 있었는데, 그때 나는 지친 그에게 다가갔다. 처음은 누구나 항상 어려운 것일 수 있다고 그를 위로하며 "나중에 교수가 되는 거예요?"라고 묻자, 그는 "교수, 아무나 되는 거 아니에요."라고 작은 목소리로 말했다. 나는 다시 "박사 과정 공부하는 사람이 이렇게 힘든 일용직을 나올 수 있는 사람이면 아무나가 아니잖아요. 물바닥이 어디인지 디뎌 봤으니, 이젠 물 위로 날치가 되어 날 수도 있는 거 아닐까요?"라고 말하였다. 남자는 나를 빤히 보더니 "혹시 상담하세요?"라고 물었고 나는 땀에 젖은 내 옷자락을 들어 냄새 맡는 시늉을 해보이며 "저한테 상담사 냄새가 나요? 티 안내려고 했는데 냄새가 베었네."라고 하자 남자가 처음으로 웃음을 보였다. 그리고 그 남자에게 지금을 잘 견디면 잘 하실 분 같다고 말하고는 다시 나의 작업라인으로 돌아왔다.

이날은 새벽 연장이 없는 8월 끝자락이었다. 이른 새벽 귀뚜라미 소리를 들으며 첫 버스를 기다리던 나는, 그에게 했던 나의 말이 가슴에 맴돌았다. 지금을 잘 견디면 잘 할 수 있다는 말~ 내가 듣고 싶은 말은 아니었을까.

며칠을 나에 대해 고민한 뒤 상담대학원을 알아보았다. 학교에서 방과 후 수업을 하지만, 나는 방과 후 수업을 하기 전에 초등학교 WEE 클래스에서 아이들 상담을 했었다. 쿠팡에서 만났던 그 남자와의 일을 계기로 나는 다시 상담 공부를 해야겠다고 생각했다. 그래서 집에서 근거리인 대학교에 대학원 문의를 했는데, 한 학기 등록금이 700만 원이 넘었다. 나의 형편에 그 돈은 너무 부담스러웠다. 솔직히, 생활하고 그 돈을 벌어서 낼 자신이 없었다. 돈 때문에 중간에 학업을 포기할 것 같은 예상이 가능했다. 나는 학비가 없어서 학교를 다니지 못했다.

그렇기에 학비가 많이 들면 겁부터 난다. 그러나 다시 무언가 배우고 싶다는 마음의 불씨는 인터넷을 검색하고 내게 주어진 환경 내에서 공부할 방법을 알아보았다. 그래서 국립 한국방송통신대학교에 생활과학대학원이 있고, 그 전공에 가정복지상담학이 있다는 것을 알게 되었다. 일단 학비가 너무 저렴했다. 그리고 직장생활을 병행하며 시간 조절을 할 수 있었다. 무엇보다 정식 석사과정이라 학력을 올릴 수 있어서 매력적이었다.

그렇게 나는 팬데믹으로 기약 없이 반백수가 된 후 대학원생 생활을 시작하였다. 처음에는 코로나 시대에 내가 무엇이라도 할 수 있는 끈 같은 것이 있는 것 같아 힘이 났다. 그래서 쿠팡 일은 힘들지만, 지금 현실에서 새 힘을 낼 수 있었다. 막연했던 삶에 보이지 않았던 길 같은 것을 어렴풋이 보았고 감사했다. 그러나 코로나는 내 생각보다 훨씬 길었다. 그럼에도 불구하고 어려운 시기도 성장의 일부라는 것을 알기에, 나를 믿고 내가 선택한 것들을 잘 이루어 나가리라 긍정하며 지냈다.

2021년 11월 22일 초등학교 전면 등교가 시행되며 나는 다시, 매일 학교로 출근하였다. 그리고 대학원 두 학기를 다니며 나를 무럭무럭 키워갔다. 대학원을 졸업하면 다시 상담 관련 일을 해보고자 하는 희망도 자라고 있었다.

생활과학과 가정복지상담학을 공부한 것은 나의 삶, 좀더 자세히 말하자면 내 내면에 뿌리내려 엉켜 있던 내 원가족과 인생 전반의 갈등 뿌리를 정돈하는 계기가 되었다. 가족에 대한 이해, 가족치료 개념과 방법등 심리학과 상담학에 대한 이해 폭이 넓어지고 깊어졌다. 자연스레 보이는 것이 많아지고 무엇보다 나에 대한 이해가 깊어졌다.

그러나 대학원 공부는 기존에 하던 나의 학습 방법과 많이 달랐다. 교재를 읽고, 문제를 풀어내는 방식이 아니었다. 교수님이 정해준 주제에 관련된 논문을 찾아보고 내 생각을 논문과 연결지어 생각해 보기가 과제로 나오는 것이었다. 논문을 읽는 것만으로는 갈증이 있어 지역도서관에 가서 관련 서적을 빌려와 읽어보고 과제에 생각한 내용을 다 적어보았다. 그런 다음 과제 마감 날짜가 다가올 때 조금씩 다듬고 정리하여 과제물을 제출하였다. 그리고 가끔은 바쁜 일상으로 인해, 과제물 마감 기한은 다가오는데 과제물을 다 쓰지 못해서, 일하는 도중에도 '과제물 어떻게 쓰지?'라는 생각을 자주~ 여러 번 압박감으로 달고 다녔다. 학기마다 비슷한 고비를 맞이하며 대학원 학업을 쌓아갔다. 그러면서 나름의 노하우가 생겼다.

대학원 공부가 힘들다고 생각한 때도 있었지만 늦은 밤, 고요하게 혼자만의 시간이 되면 내 마음에게 말했다. '지금 (대학원) 공부는 내가 나를 위해 선택해 준, 살면서 몇 안 되는 선물이다. 지나고 나면 아쉽고 추억으로 남는다, 즐겨라.' 이것이 힘든 나에게 위로해주는 나름의 영양제였다. 나의 대학원 생활에서 가장 힘들었던 부분이 시간 관리였다. 나는 직장인이었고 자식이 있는 엄마였다. 먼저 주어진 일을 한 다음에 남은 시간을 잘 조율해서 우선순위를 정해야 했다. 그렇지만 우선순위를 정했어도 실천하는 것은 훨씬 어려운 고비로 다가왔다. 그래서 밤에 시간을 정해 두고 저녁을 마무리하면, 나도 모르게 드라마나 유튜브를 보며 흘려보내던 시간을, 알람을 정해 놓은 뒤, 알람이 울리면 일단 책상에 앉았다. 약간의 강제성이 있었고, 이 시간에는 아이에게도 엄마를 찾지 말아 달라고 부탁했다. 그리고 책상에 앉으면 무조건 노트북을 켜고 핸드폰을 무음으로 바꾸었다. 하루에 1시간씩 꾸준히 쌓이니 제법 익숙해져 습관화할 수 있었다.

책상에 앉아 공부할 수 있는 시간이 1시간이라면 그 시간 동안 효율적인 학습을 위한 학습관리도 필요했다. 예를 들어 주어진 기간 내에 강의를 듣고 배속을 빠르게 한 뒤 설거지를 하거나 일상생활을 할 때 복습하며 수업 내용에 익숙해지려고 노력했다. 그리고 과제가 나오면 일단 과제와 관련된 자료를 찾는 것이 1순위, 모아 둔 자료 중 논문은 쉽든 어렵든 처음부터 끝까지 읽고 참고서적은 목차를 보고 과제와 관련이 깊은 것 같은 페이지를 먼저 읽었다. 그래서 시간을 단축할 수 있었다. 참고서적이 여러 권인 경우, 책을 처음부터 끝까지 읽기란 쉽지 않았다.

그래서 중요한 부분을 읽고 과제에 참고할 만한 부분을 클립을 끼워 두는 것이 2순위, 그리고 과제물 마감이 되기 3일 전에는 반드시 과제를 다 완성해 두기가 3순위다. 예전에 과제물 마감 시간을 1시간 남기고 밤 11시에 과제물을 제출한 적이 있는데 그때, 얼마나 조마조마한 마음으로 과제를 급하게 마무리했는지 모른다.

그 과제를 제출하고 나서 한참 뒤 다시 열어본 나의 과제에는 문맥이 안 맞는 문장과 오타가 있었다. 얼마나 나 자신에게 실망스러웠는지 모른다. 물론 학점도 다른 과목보다 낮게 나왔다. 마음 졸이던 그 경험이 있었기에 깜짝 놀라서 좀 더 열심히 한 것이 아닌가 싶다. 내가 대학원 공부를 하면서 운 적이 두 번 있다. 한 번은 외국어시험을 준비하면서, 한 번은 식품영양학의 SPSS 과제를 하면서다.

외국어시험을 준비할 때 교수님이 시험을 낼 부분의 논문을 올려주셨는데 모르는 어휘가 너무 많았다. 그래서 나는 인터넷 사이트에서 번역기의 도움을 받으며 공부를 하려고 했는데, 번역 사이트마다 내용이 조금씩 다르게 해석되었다. 불안한 마음에 나는 지인인 고등학교 영어 선생님께 논문 번역을 부탁드렸고, 선생님은 "전공자 논문이라 번역이 쉽지 않네요. 공부하시기 만만치 않겠어요."라고 나를 위로해주셨다.

나는 번역된 내용과 영어 원문을 문장마다 비교하며, 프린트한 종이가 너덜너덜해질 때까지 줄을 치며 여러 번 보고 다녔다. 나에게 영어는 어려운 과목인데, 기초영어도 아닌 논문을 보고 또 보는 것이 너무 어려워 결국 새벽 1시에 노트북에 비친 초췌한 나를 보며 울음이 터진 적 있었다.

그리고 식품영양학 과제를 할 때는 엑셀을 활용하여 과제를 하는 것인데, 나는 컴퓨터 활용이 능숙하지 못하다. 그리고 숫자에도 약하다. 내가 선택한 식품영양학 과제는 컴퓨터 엑셀을 활용해 숫자를 기입하여 과제를 해결하는 거였다. 이 과제를 수행하는 과정에서 눈이 자주 뻑뻑하고 노트북 화면이 번져 보이는 현상이 왔다. 병원에 가 보니 노안이 왔단다. 꼭 이 과제 때문만은 아니겠지만 힘들게 느껴지는 과제를 수행하는 과정에서 초기 노안 진단을 받으니 무척 서러웠다. 그러나 나는 모두 해냈다. 그렇기에 지금은 웃으며 추억 한 조각으로 남길 수 있다.

처음에 종합시험은 나에게 빛과 같은 것이었다. 나는 대학원은 논문을 쓰지 않으면 졸업을 안 시켜 줄 알았다. 그런데 종합시험을 통과하면 논문 없이도 졸업할 수 있다는 것이 무척 안심되었다. 하지만 종합시험을 준비하며 공부를 하려니, 너무 방대한 학습량에 풀이 죽고 불안감이 커졌다.

'종합시험 통과 못 해서 졸업 못 하면 어떻게 하지.'라는 마음이 한동안 따라다녔다. 결국, 그 불안을 줄이기 위해서는 일단 노트북을 켰다. 그리고 시험 관련 강의 목차에서 큰 제목을 중심으로 문맥을 잡고, 배운 것을 생각해 보라는 부분들에 대해 관련된 내용을 찾아서 글로 써 보았다. 대학원 공부를 하면서 어린 시절과는 다른 부족한 기억력이 아쉬웠다. 머리를 많이 쓸수록 배운 것, 본 것을 돌아서면 까먹고, 자고 일어나서 보면 또 새롭고 그런 상황이 자주 있었다. 그래서 기억해야 하는 부분들을 글로 반복해서 써 보았다. 익숙해지면 작은 제목의 흐름을 이해하고, 보고, 또 보고 내가 할 수 있는 공부 방법은 그냥 많은 시간 무식하게 엉덩이를 책상 의자에 붙이고 있는 거였다. 그 시간 동안은 종합시험과 관련된 것만 공부하고 중요한 부분은 잘 정리를 해 두었다. 나는 어렵사리 종합시험을 통과하고 남은 대학원 생활을 안도할 수 있었다.

우리는 코로나 19로 집합이 금지되어 집합 금지 기간이 있었다. 나는 같은 기수 대학원 동기들을 Zoom에서만 화상으로 만났다. 그러다 선배 기수분들이 졸업할 때 우리 기수분들을 만날 기회가 있었다. 실물을 뵈니 무척 반가웠다. 동기들을 만나서 이야기하니 학습할 때 느끼는 비슷한 어려움이 있음을 알게 되었고 대화가 잘 통하는 부분이 많았다. 특히 노안이 무척 서러웠던 나는, 60이 다 되어가는 원우님 앞에서 눈이 많이 건조하다고 말했다. 그런데 그분이 자기도 인공눈물 40개 단위로 포장된 것을 집에 두고 쓴다고 했다. 나는 가끔 건조함을 줄이려 10개 단위로 포장된 인공눈물을 쓴다. 그런데 40개짜리 포장이란 그분의 말에 나보다 더 눈이 건조하여 불편함을 줄이기 위해 인공눈물을 많이 넣으시리라 짐작할 수 있었다. 그래서 나의 눈물 건조에 대한 투정은 그분 앞에서 쏙 들어가고 말았다. 이처럼 원우들과 비슷한 경험을 공유하는 것은 나에게 위안이 되었다. 원우님들과의 만남 후, 나는 모임이 있을 때는 가급적 함께 만나려고 했다. 함께 하는 만남이 반갑고, 즐겁고, 힘이 났다.

배움을 즐기는 분들은 좋은 에너지를 가진 분들이 많다. 그 에너지를 배울 수 있었고, 나눌 수 있으니 즐겁고 행복한 시간이 덤으로 왔다.

졸업할 즈음, 많이 성장한 자신을 볼 수 있었다. 사람이 잘 보이고, 상황이 바로 보인다. 이해가 되니 감정 변화나 불안이 줄어들고, 심지어 주변에서 희망을 잘 찾아내는 눈이 생겼다.

그리고 대학원을 졸업하니 심리와 관련된 강의를 할 기회가 생겼다. 올해 내가 거주하는 지역 시에서 운영하는 기관에 심리코칭 프로그램 교육을 여러 달에 걸쳐 진행하였다.

나는 학부 때 상담이나 심리학 전공이 아니었다. 그런데 대학원을 졸업해 석사를 마쳤고, 가정복지상담학을 전공했기에 심리교육을 할 수 있는 기회를 주신 것 같다. 그리고 대학원 졸업의 또 다른 유용성은 심리 도구를 쓸 수 있는 자격이 생긴다는 것이다. 전문 검사인 TCI(기질 및 성격검사)나 정신과에서 잘 사용하는 MMPI(다면적 인적검사)검사 자격을 가질 수 있다. 이 도구는 학부나 대학원에서 심리학이나 상담학을 전공해야만 자격을 얻을 수 있다. 학부 전공으로는 도구 사용자격이 안 되지만, 대학원 전공으로 사용 자격을 얻었다. 만약 상담 관련 일을 하실 분들이라면 이 도구가 유용한 도움이 될 것이다. 전문성을 갖춘다는 것에 노력이 들어가는 것, 힘이 드는 것은 필요한 것이다.

지금도 나의 책상에는 내가 대학원 입학 후 썼던 문구가 쓰여있다.

'그때 할 수 없었으면 지금도 할 수 없다.
지금이~ 과거 속 그때가 되기 전에 나는 한다.
그럼 나는 그때~ 한 것이 된다.'

나는 대학원에서 공부하는 습관이 생겨 공부중독에 걸려 다시 공부한다. 건전한 사치를 부리며 하루하루 성장하고 있다.

여전히 열심히 일하고, 생활하며, 사람들과 교류하면서 잘 살아가고 있다. 그리고 현재, 지속 가능한 환경에 도움이 되고자 환경교육사를 공부하고 있다.

여전히 새로운 것을 마음 먹는 것, 해내는 것은 어렵다. 용기가 필요하다. 그렇기에 지금도 나는 어떤 공부든 시작하면 끝을 볼 수 있도록 엉덩이 근육과 마음 근육을 단단히 기르고 있다. 나를 키워내고 있다.

나는 인간 세상에 인간으로 태어났으니 인간 세상에 오래 도록 유용한 사람으로 살고 싶다. 사람 속에서 사람들과 웃으며 살고 싶다.

'내 인생을 바꾼 대학원-경단녀에서 영양사로'
식품영양학전공 이애란(18기)

 안녕하세요! 저는 18기 부회장 이애란이며, 식품영양학을 전공하였습니다. 두 아이를 키우며 경력이 단절된 주부로 생활하던 중, 둘째 아이가 어린이집에 다니기 시작하면서 집에서 혼자 있는 시간이 많아졌고, 그로 인해 무료함을 느끼게 되었습니다.

 아이를 키우면서 내가 할 수 있는 일이 무엇일지 고민하던 중, 다시 공부를 시작하기로 결심하고 "국립 한국방송통신대학교(이하 방송대)"에 입학하게 되었습니다. 입학과 동시에 작은 일자리도 생겼습니다. 많은 학부 재학생과 마찬가지로, 저 역시 학업과 일, 육아, 가사 일을 병행하며 열심히 공부했습니다. 4학년 때는 둘째 아이가 초등학교에 입학하고 코로나19 시기가 겹치면서 휴직을 결심하고, 평생교육원 수업까지 듣게 되었습니다. 그리하여 1년 동안 28과목을 수강하고 3번의 실습으로 면허증과 자격증 취득에 전념했습니다.

 이렇게 노력한 끝에 영양사 면허증, 보육교사 2급, 사회복지사 2급, 요양보호사, 그리고 한·중식조리기능사 자격증 등을 취득하게 되었습니다. 이 모든 경험은 저에게 큰 자산이 될 것이고, 앞으로의 살아갈 삶을 견고히 하는 중요한 밑거름이 되리라 믿습니다.

방송대 생활과학부를 졸업한 후, 저는 국립 한국방송통신대학교 생활과학대학원(이하 생활과학대학원)에 지원하게 되었습니다. 처음에는 대학원 진학이 제 계획에 없었지만, 학부 수업 중 우연히 참여하게 된 '식통방통' 스터디 덕분에 제 힘든 학부 생활이 새로운 가능성과 연결될 기회를 얻게 되었습니다. 그때 18기 서길원 회장님께서 동기들에게 "4학기 기말고사 후에, 대학원에 가자"는 제안을 하셨고, 그 말씀에 "그래, 나도 한번 도전해 볼까"라는 마음이 생겼습니다. 원서 접수까지도 "내가 대학원을 잘 다닐 수 있을까?"라는 걱정과 기대가 교차했지만, 다행히도 코로나19로 인해 면접이 온라인으로 진행되어 집에서 편한 마음으로 면접을 볼 수 있었습니다. 그래서 자신감을 가지고 면접에 임할 수 있었고, 결국 대학원 입학의 기회를 얻게 되었습니다.

 처음에는 국립 한국방송통신대학원 지원에 있어 고민이 많았습니다. 임상대학원이나 교육대학원에도 지원하고 싶었지만, 어린 자녀를 둔 워킹맘으로서 타 대학원 수업에 출석하기에는 현실적인 제약이 따랐습니다. 그래서 학부 시절의 경험과 시간적, 금전적 여건을 고려하여 생활과학대학원에 지원하게 되었습니다. 이러한 결정이 제 전문성을 한층 더 키우고, 새로운 여정을 시작하는 중요한 계기가 되었습니다.

 학부 졸업과 동시에 사립 유치원에서 영양사로 근무하며 귀여운 아이들의 건강한 식습관을 책임지게 되었습니다.

그 후, 보건소에서 대사증후군 관리 상담 영양사로 활동하게 되어, 지역사회의 건강 증진에 기여할 기회를 가졌습니다. 대학원 과정을 마친 후에도 직업은 유지하고 있지만, 이력서에 대학원 졸업을 추가할 수 있게 되어 큰 자부심을 느끼고 있습니다. 이 과정에서 쌓은 경험과 지식은 저의 전문성을 더욱 강화해 주었습니다.

저는 학부 시절 편입하지 않고, 아이의 초등학교 입학 시기와 유아교육과에서 듣고 싶은 과목들이 있어 1학년으로 입학하였습니다. 1학년 때 유아교육과 수업을 많이 수강하다 보니 성적이 좋지 않았습니다. 다행히 전공과목과 3, 4학년 때 성적이 향상되어 대학원에 지원할 수 있는 수준까지 올라갔지만, 함께 지원한 동기들에 비해 성적은 상당히 낮았습니다. (동기 중에는 성적 우수상을 받은 분들이 많았습니다.) 그래서 학부 졸업 후 대학원 지원 시 성적이 낮아 고민하시는 분들께 드리고 싶은 조언은, 면접 전형(130점 만점에 70점)에 집중하시는 것입니다. 면접에서의 준비성과 자신감이 중요하며, 이를 통해 좋은 결과를 얻을 기회가 될 것입니다.

면접 시에는 자기 기술서를 기반으로 철저히 준비하는 것이 중요합니다. 생활과학대학원에 입학한 후에는 생활과학과에서 어떤 전공을 공부할 계획인지, 예를 들어 가정복지상담학, 식품영양학, 의류패션학 중 어떤 전공을 선택할 것인지 명확히 정리해 두셔야 합니다. 또한, 그 전공에서 특히 어떤 과목이나 주제에 대해 심도 있게 공부하고 싶은지도 구체적으로 언급하는 것이 좋습니다.

특히 방송대학원에서의 학습 방식과 제가 어떻게 졸업할 수 있을지에 대한 계획을 세우는 것이 중요합니다. 저는 학부 시절 어려운 상황을 극복하며 성실히 임했던 만큼, 대학원에서도 동일한 자세로 공부하여 졸업할 것을 다짐하고 있음을 호소하였습니다. 자신이 꼭 대학원에 입학하고 싶다는 열망을 교수님들께 진솔하게 전달한다면 좋은 결과를 얻을 수 있다고 생각합니다.

제 경험에 비추어 보았을 때 방송대 대학원 입학 전에 이것만은 꼭 해주셨으면 좋겠습니다. 입학 전에는 학교 홈페이지를 자주 방문하는 것이 좋습니다.

또한, 대학원 생활에 있어 대학원 요람을 반드시 정독하시길 권장합니다. 저는 개인적으로 다이어리를 준비하여 필요한 정보를 보기 쉽게 정리해 두었습니다. 이렇게 하면 학업에 필요한 핵심 사항을 쉽게 찾아볼 수 있어 매우 유용했습니다.

〈다이어리에 요약한 내용〉

기말고사 전까지 많은 고통이 수반됩니다. '내가 왜 공부를 시작했지?'라는 자괴감도 듭니다. 하지만 열심히 공부한 만큼 성적은 따라 옵니다. 기말고사가 끝나고 성적을 확인하는 순간, 그동안의 고생이 사라지며 다시 공부할 힘이 생깁니다. 모든 과목에서 최선을 다하려고 했던 저의 노력이 주마등처럼 떠오르며, 그 순간의 기쁨은 이루 말할 수 없습니다.

저는 수강한 모든 과목에 애증이 있습니다. 그중에서도 가장 애증하는 과목은 조리과학입니다. 김선아 교수님 덕분에 본관의 실험실에서 직접 실험할 기회를 얻었고, 논문에서만 보던 측정기구와 실험 환경을 실제로 경험하게 되어 매우 흥미로웠습니다. 또한, 박효순 튜터님이 친절하게 설명해 주셔서 즐겁게 과제를 수행할 수 있었던 점도 큰 도움이 되었습니다.

'생활과학 연구방법론, 식품 및 조리과학, 식생활교육과 영양 정보'를 수강하면서 '나도 논문을 쓸 수 있겠구나!'라는 자신감이 생겼습니다. 이러한 경험들이 저의 학문적 여정을 더욱 풍부하게 만들어 주었습니다.

공부의 비법은 따로 없습니다. 모두가 한결같이 이야기하듯, 수업에 집중하고 과제를 성실히 수행하면 성적이 따라오기 마련입니다. 원우회에 가입하면 서로 정보를 공유하고 의지할 수 있어, 어느새 졸업 학기가 다가올 것입니다.

과제나 토론을 진행할 때는 교수님의 출제 의도와 요구사항에 맞게 작성하는 것이 중요합니다. 또한, 특강과 세미나에 반드시 참석하시길 권장합니다. 원우회 분들과 교수님이 참석하는 세미나에 참여하면 더 풍부한 정보를 얻을 수 있을 것입니다. 또한, 학생들에게는 참가비 할인 혜택이 제공되니 이 점도 활용하시기를 바랍니다.

그리고, 관련 과목의 논문을 많이 읽고 요약하는 습관을 들이면 과제나 토론을 훨씬 더 수월하게 진행할 수 있습니다.

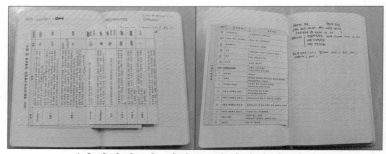

〈과제일정 및 평가를 다이어리에 정리〉

수강 신청 시, 학교 홈페이지의 교육과정에서 전공 교과목을 자세히 확인할 수 있습니다. **교과명에 *이 표시가 있는 과목은 격년제로 운영되므로, 해당해 꼭 수강 신청해야 합니다. 이를 놓치면 5학기 내 졸업이 어려울 수 있습니다.**

또한, 종합시험 및 외국어시험과목에 대해서도 미리 알고 수강하시기를 바랍니다. 특히 종합시험은 이수한 과목에 대해 시험 신청이 가능하니 준비가 필요합니다. 그리고 한꺼번에 다 통과하려는 마음보다는 "선택과 집중"을 하여 한 과목이라도 통과하자는 마음으로 준비하시길 바랍니다.

논문 작성을 계획하고 계신 분은 "생활과학 연구방법론"을 수강하면 소논문을 작성하시게 됩니다. 이 과목을 통해 논문 작성에 필요한 기초 지식을 확고히 할 수 있습니다.

저는 논문을 작성하지 않고 종합시험으로 졸업하였습니다. 그러나 논문을 꼭 작성하고 싶고 박사 과정(사대문 안에 박사 과정 대학원에 입학하려면 논문이 필요한 경우가 많습니다.)에 진학하고자 하시는 분들은 입학 전부터 전공할 과목의 교수님에 대해 철저히 조사하시기를 바랍니다. 교수님이 작성하신 논문을 반드시 읽어보시고, 본인이 쓰고자 하는 논문과 같은 주제나 유사한 연구를 진행하신 교수님께 지속적으로 연락을 취해야 합니다. 이때, 자신이 논문을 쓰고 싶다는 의사와 구체적인 계획을 메일 등으로 교수님께 전달하는 것이 중요합니다. 이를 통해 교수님과의 관계를 맺고, 연구 방향에 대한 조언을 받을 수 있을 것입니다.

대학원을 다니면서 즐거웠던 에피소드가 몇가지 있습니다. 선후배와 동기들과 함께한 1박 2일 워크숍이 아직도 기억에 남습니다. 대학생 MT처럼 서로의 공부의 어려움과 대학원 생활에 대한 궁금증을 나누며, 각자의 재능을 기부하는 소중한 시간이었습니다.

졸업 파티도 잊을 수 없는 순간입니다. 방송대 대학원 특성상 공식 졸업 사진을 찍지 않기에, 18기 원우회에서 본관 근처의 파티룸을 대여해 선후배, 동기들과 함께 졸업 촬영과 축하의 자리를 마련했습니다.

대학원 생활에서는 교수님들을 만날 기회가 많지 않지만, 원우회 임원으로 활동하면서 교수님들과의 만남이 더 자주 있었습니다. 특히 김선아 교수님께서 점심을 함께하며 여러 개인적인 이야기를 나누는 동안, 따뜻한 친밀감을 느낄 수 있었습니다. 이 모든 경험이 제 대학원 생활을 더욱 의미 있게 만들어 주었습니다.

대학원에 다니면서 제 인맥이 아주 넓어졌습니다. 생활과학대학원은 세 가지 전공이 있어 다양한 분야의 대학원 원우님들을 만날 수 있었습니다. 함께 공부하며 서로의 어려움을 나누다 보니, 하나하나 과제를 수행하는 과정에서 자연스레 동지애가 생겼습니다. 각자의 전공과 경험을 나누며 함께 성장해 가는 모습은 정말 소중한 경험이었습니다. 이런 관계들이 저에게 큰 힘이 되었고, 앞으로도 계속 이어질 것이라 믿습니다.

졸업 후, 생활과학대학원 총동문회에 가입하여 정기 총회에 참석하며 선후배님들과의 만남을 이어가고 있습니다. 올해는 '코로나19' 이후 맥이 끊겼던 학술 세미나를 개최하여 적극적으로 참석하고, 문화 세미나도 참여하여 문화 교류를 더욱 넓히고 있습니다.

또한, 생활과학대학원에 입학을 준비하는 대학원 원우님들을 위해 길잡이 책을 만드는 프로젝트에도 참여하고 있습니다. 이러한 활동들을 통해 학문적 네트워크를 강화하고, 후배들에게도 유익한 정보를 제공하고자 노력하고 있습니다.

 저는 주변 지인들, 특히 결혼 전에는 열심히 경력을 쌓고 있던 친구들에게 방송대와 방송대학원을 적극 추천하며 배움을 권유하고 있습니다. 결혼과 출산으로 경단녀가 된 저에게도 "내 인생을 바꾼 대학"입니다.

 배움에 대해 고민할 필요는 없습니다. 하루라도 빨리, 한 살이라도 어릴 때 시작하시길 권장합니다. 고민하는 순간, 기회와 시간이 스쳐 지나갑니다. 또한, 내가 하고 싶은 일이나 계획을 주변에 이야기하세요. 하고 싶은 일에 대해 준비한다면, 기회가 찾아왔을 때 바로 잡을 수 있습니다.

 다산 정약용 선생님은 '기회가 미리 준비된 사람에게 온다'라고 말씀하셨습니다. 우리의 노력과 준비를 통해 자신의 역량을 키워야 기회를 잡을 수 있다는 삶의 지혜를 마음에 새기면 좋겠습니다.

'나의 자긍심'

의류패션학전공 조근수(18기)

안녕하세요 조근수입니다. 저는 패션디자이너로 광주에서 개인적으로 '조근수 아틀리에'라는 작은 샵을 운영 중입니다. 패션과 관련된 자격증으로는 양장기능사 자격증이 있습니다.

29살에 처음으로 개인적인 샵을 시작하고 약 10년 남짓 패션 업에 종사하면서, 공부에 대한 갈망이 있어서 하게 되었습니다. 사실 전남대학교를 2년 다니고, 방송통신대학교 3학년으로 편입해서 졸업했습니다. 그래서 방송통신대학교 시스템에 대해서 아는 것도 있었고, 무엇보다 사업과 일을 병행해야 하기 때문에 방송통신대학원을 선택하게 되었습니다.

대학원을 졸업하고 일적인 면에서는 사실 크게 바뀐 것은 없습니다. 하지만 대학원을 졸업하고 박사과정 공부를 더 하고 싶은 욕심이 있습니다. 그래서 커리어의 포커싱을 비즈니스에서 아카데미로 바꾸고 싶은 마음입니다.

대학원을 졸업하고서 가장 많이 바뀐 부분은 사물을 바라보는 시선이 너무 많이 바뀌었습니다. 비즈니스와 아카데미는 서로 긴밀하게 연관되어 있지만, 어떤 면에서는 서로 너무 다른 시각을 가지고 있습니다. 그래서 대학원을 졸업하고 패션에 대한 생각이 기존에 있었던 관점에서 아카데미한 시각이 결합되어 좀더 넓은 시각을 갖게 된 것 같습니다.

 가장 즐거웠던 과목을 꼽자면 패션디자인 스튜디오 과목
을 할 때 가장 즐거웠습니다. 최종 아트웨어를 만드는 과
정으로 1주차부터 꾸준히 교수님과 튜터, 같이 공부하는
선생님들과 긍정적인 피드백을 통한 소통을 하고, 또한 디
자인을 개념부터 잡아가는 과정이라 유용했습니다. 하지만
과제는 힘들었습니다. 특히 논문들을 읽어야 하는 과제들
이 힘들었는데, 사실 논문을 많이 접해보지 않아서 생소하
기도 했었고, 연구방법 등에 어려운 개념이나 용어 또한
힘들었습니다. 그래서 대학원에 진학하기로 생각하였다면
논문을 많이 접해보는 것을 추천합니다.
 추가로 논문 읽는 팁을 적어본다면 논문을 읽을 때 사전
지식과 개념을 좀 더 알아야 하는 것 같습니다. 예를 들어
패션 관련 논문도 연구방법에서 SPSS와 같은 통계 관련 프
로그램을 쓰기 때문에 이와 관련된 지식을 알아야 좀 더
편하게 읽을 수 있으니까요.

 공부하는 방법에 대한 특별한 노하우는 없는 것 같습니
다. 그냥 무작정 해야 되는 것 같아요. 대학원 과정을 처음
접해보는 부분이라 조금 돌아가는 느낌이 들 수도 있어서
힘들지만 그래도 끝까지 매진하여 졸업하는 것이 중요한
것 같습니다.
 졸업시험(일명 종합시험)의 노하우라고 한다면 계속 쓰면
서 공부하는 것이 좋은 것 같습니다. 서술형으로 출제가
되기 때문에 개념이나 설명을 3~5줄로 요약하고 조금이라

도 외워질 때까지 공부하는 것 밖에는 없는 것 같아요.(조금 무식한 방법이지만 이방법이 최고인 것 같습니다.)

또한 우리 대학원은 온라인으로 수업을 하다보니, 오프모임이 별로 없지만, 서울과 울산에서 2번 정도 모임에 참석하여 같이 대학원 다니는 원우들과 이야기 나눈 것이 기억에 많이 남고 같은 동지애 같은 것도 느낄수 있어서 좋았습니다.

저는 나이가 이미 있고, 비즈니스에서 지금까지 계속 몸담고 있었기 때문에, 커리어나 관심 분야를 바꾼다는 것은 결코 쉬운일이 아닙니다. 하지만 처음에 패션을 시작했을 때와 같이 지금은 공부하는 것이 좀 더 재미있고, 그래서 본질적으로 학문탐구식의 공부를 더 하고 싶어 박사과정을 준비하고 있습니다.

여러분께 제 작은 경험을 전해드린다면 대학원을 졸업하고서 세상을 좀 더 큰 시각으로 보게 된 것 같습니다. 지금보다 좀더 어렸을 때는 대학원이라는 과정을 생각조차 하지 않았고, 어떤 면에서는 이 과정이 패션디자인을 하는데 필요한가 라는 생각도 있었지만, 이 과정을 통해 많이 배우고 그것을 통해 저의 시각도 좀더 넓어진 것 같습니다.

졸업이라는 것이 어떻게 보면 하나의 성과인데, 인생의 큰 관점으로 보면 어쩌면 졸업장이라는 것이 크게 필요한가라는 생각도 듭니다. 사실 이미 조금이라도 대학원을 경험한 것만으로도 충분하다고 생각 할 수 도 있습니다. 그래서 본인이 생각하는 졸업에 관한 관점이 중요한 것 같습니다.

 나이는 숫자에 불과한 것 같습니다. 그냥 하고 싶으면, 하면 된다고 생각합니다. 혹시 모르는 문제가 있으면 다음 문제로 넘어가면 됩니다. 완벽한 사람은 없으니까요.
 사실 저는 방송통신대학교와 동대학원을 나왔기 때문에 나름 방송통신대학교에 대한 자부심이 있습니다. 제가 뛰어나서가 아니라, 이 학교의 시스템과 교수님들과 튜터님들, 또한 가장 중요한 같이 공부하는 원우님들을 통해 많이 배울 수 있어서 저한테는 많은 의미가 있고 이 학교에 대한 자긍심이 있습니다.
 여러분들도 이러한 자긍심이 생길수 있는 기회를 잡으시면 좋겠습니다.

※ 조근수 선배님께서는 현재 미국 박사과정 풀펀딩 합격하셨습니다.

'어른으로 산다는 것'

가정복지상담학전공 이금숙(18기)

저는 학교에서 21년 차 행정 일을 하고 있습니다. 퇴직후 일자리를 위해 청소년 지도사, 사회복지사, 이마고 부부상담사, 가족 상담사, 노인 미술치료 상담사, 요양보호사, 한식 조리사, 국제 바리스타 자격증 등 여러 가지 자격증을 취득하였습니다.

대학원에 입학하게 된 이유는 체계적으로 공부하여 퇴직후 봉사하고 싶어서입니다. 삶이 힘들어 공부할 수 있을까 생각되었지만, 저의 선택은 옳았습니다. 학부에서 청소년 교육을 전공하면서 상담 공부를 했는데 더 깊은 상담 공부를 하고 싶었습니다.

대학원에서 어느정도 해소되기는 하였으나 나머지는 제가 실제 상담을 하면서 완성해 가는 과정이라 생각했습니다. 방송대 대학원은 직장에 다니면서 자투리 시간을 활용하여 공부할 수 있는 장점이 있습니다.

대학원에 입학 후 어떻게 공부해야 할지 막막했지만, 원우회에 들어가 함께 의논하며 공부하게 되면서 걱정은 조금씩 사라지게 되었습니다. 어려운 과목도 원우들과 줌으로 토론도 하며 극복하게 되었고, 개인 사정상 그만두려고 하는 원우에게 응원과 위로를 보내며 무사히 함께 졸업하였습니다.

대학원 공부 중 힘들었던 과목은 "생활과학 연구방법론"

이 어렵긴 하였지만 마치고 나서는 성취감이 제일 높았던 과목이기도 합니다. 보편적으로 많이 어렵거나 힘든 과목은 없었고, 관심 분야를 공부하다 보니 새로운 것을 알아가는 과정도 즐기게 되었습니다. 과제물은 교수님께서 무엇을 원하시는지 질문을 파악하고, 순서를 정해 답을 찾아 관련 논문을 최소 3개 정도 읽었습니다. 교수님이 연구하신 논문도 참고 자료로 읽어보며 과제를 작성한다면 좋은 점수를 받을 수 있습니다.

대학원 생활 중 기억에 남는 에피소드가 있다면 대학원 선후배 연합 워크숍입니다. 그 시간에 궁금한 것을 선배로부터 정보를 얻고 힘을 받았던 기억이 납니다. 원우들과 만나 친해지는 시간이었고, 훌륭한 분들을 만나는 행복한 시간이면서 한 학기 힘듦을 내려놓기도 하는 제일 기다려지는 시간이기도 하였습니다. 그리고, 18기 원우들과 졸업 여행으로 서울 북촌에서 1박 2일 동안 같이 걸으며 담소를 나누던 정다웠던 시간을 잊을 수 없답니다.

종합시험은 교수님이 강조한 부분을 메모해 두었다가 그 부분을 집중적으로 공부한 결과 통과할 수 있었습니다. 영어시험은 외우느라 힘들었지만, 반복 학습만이 답이라 반복해서 읽고 해석하며 준비한다면 무난하리라 생각합니다.

대학원 공부를 하면서 직장에서 바뀐 점은 민원 전화를 더 배려하며 받았고, 의도치 않게 상담도 하게 되는 일이 생기게 되었습니다. 학부모님께서 속마음을 터놓고 얘기하리라 생각도 못 했는데 들어주고 공감해 주어서 고맙다는 말을 종종 듣게 되어 '상담 공부를 잘했다.' 생각하게 되었습니다.

졸업 후에 하는 일에 변화는 없지만 공부하면서 '저 상담 공부해요'라고 자랑해서인지 봉사 상담을 자연스럽게 하게 되었습니다. 80대, 90대 어르신 두 분을 즐겁게 상담하고 있습니다. 같은 말을 반복하기도 하시지만 저를 돌아보게 하는 소중한 시간입니다. 대화 주제를 찾아 논문도 보고 책도 사서 읽는 과정들이 저에게는 소중한 시간으로 저축되고 있답니다. 준비된 사람에게 기회가 온다는 말을 실감하는 요즘, 공부한 것을 바탕으로 봉사할 수 있어서 대학원을 잘 졸업했다는 생각이 듭니다.

대학원 진학을 고민하고 있다면 먼저 두드려 놓고 하나씩 해결하면서 나아가시면 된다고 말씀드리고 싶습니다. 이왕 시작하셨다면 즐기면서 시간을 잘 나누어 사용하셔야 합니다. 직장을 다니시면 출퇴근 길에도 강의를 들으며 다녀야 하고, 외출할 때에도 이어폰은 필수로 챙겨 자주 들어야 익숙해질 수 있습니다.

그리고 건강은 필수이니 스트레칭도 하고, 가끔은 푹 쉬어주며 자신에게 보상을 주세요. 분위기 좋은 카페에서 맛있는 차 한 잔, 예쁜 옷, 좋아하는 음식, 아니면 자신이 좋아하는 곳에서 오롯이 자신만의 시간을 즐기시길 권합니다. 좋아하는 곳이나 장소가 없으시다면 이제라도 생각해 보시고 만드시면 좋을 것 같아요. 공부가 인생의 전부는 아니니까요.

저는 학기가 끝나면 혼자만의 여행을 선물하기도 했답니다. 가끔은 나만의 시간이 필요하기도 하고 그동안 쌓인 피로를 푸는 재충전의 시간으로 보냈답니다. 젊으시다면 저처럼 해보시길 권하고 싶네요. 그리고, 남편에게도 혼자만의 시간을 선물 해보셔요. 우리는 혼자 있는 시간이 필요한데 그 시간을 내기가 쉽지 않습니다. 옆에 있는 사람이 그런 시간을 선물해 준다면 더 행복하리라 생각합니다.

세 아이를 키우고 시할머니와 시어머니를 모시고 산 저는 40대에 제 인생의 소중함을 알았답니다. 아마 저처럼 자신의 소중함을 아시기에 대학원 진학을 고민하고 있다고 생각됩니다. 선택한 결정들이 모여 인생이라는 책이 된다고 합니다. 순간순간 최선을 다해 멋진 미래를 써 내려가는 시간이 되시길 바랍니다. 대학원은 인생에 전환점이 되어 좋은 에너지로 돌아올 것이라 확신합니다.

마지막으로 김혜남의 "어른으로 산다는 것"에서 인용한 내용으로 마무리합니다.
"아무리 나이가 들어도 우리는 때때로 어른의 짐을 잠시 벗어놓고 놀 수 있어야 한다. 마치 어린아이처럼 마음껏 자신을 풀어놓고 깔깔대며 즐길 수 있어야 한다. 그래야 한바탕 신나게 놀고 난 다음 툭툭 털고 일어나 다시 현실로 되돌아와서도 있는 힘껏 세상을 살아갈 수 있다."

18기 원우들에게 같이 공부하고 추억을 만들 수 있어서 행복했고, 함께여서 더 좋았다고 말씀드리고 싶습니다. 우리의 인연 쭉 건강하게 이어갔으면 좋겠고 행운이 늘 함께 하시기를 바랍니다. 감사합니다.

73

'미래를 향한 발걸음'

식품영양학전공 서재호(19기)

 안녕하세요? 저는 19기 원우회장 서재호입니다.
저는 대학원에 입학 전 미국회사에 식자재를 납품하는 회사에서 23년째 인사행정관, 총무, 배차, 냉장창고, 계약서, 클레임, 미국 회사 수검, 미국 회사 검역처 수검 등을 담당하고 있습니다.
 미국인과의 협조가 필요한 직업이다보니 영어는 필수입니다. 영어로 의사소통이 원활해야 원하는 상품을 정확하게 전달할 수 있고 이 부분이 점수화되어 23년째 미국회사 일을 할 수 있다고 생각합니다.

 당사는 미국계 식품회사입니다. 회사 구성원 중 경영, 회계, 전산, 무역 등은 있으나 식품영양학과가 없었습니다. 저도 학부에서 문과인 무역학과를 나왔기에 식품영양학과에 대한 전문가로서 막연한 꿈을 가지고 있었습니다. 그러다가 아내의 대학원 진학과 과제를 도와주면서 아내도 대학원 도전을 추천하여 지원하게 되었습니다. 서울대 대학원과 경희대 대학원도 알아보았으나, 학비, 온라인 강좌, 국립 등의 매력을 느껴 국립 한국통신대학원에 문을 두드리게 되었습니다.

 대학원을 진학 전과 후의 하는 일이 바뀌지는 않았습니다. 다만 마음가짐과 현상을 바로 보는 시각, 사람을 대하는 태도가 바뀌었다고 생각합니다. 예를 들어 퇴근 후 또는 주말에 긴급하게 일이 발생하면 우선 화부터 나고 꼭 내가 해야 하는지부터 찾게 되었었습니다. '왜? 이 일을 꼭 내가 해야 하나?'라는 생각에 억울함도 있었습니다. 하지만, 지금은 나니까 할 수 있고, 나로부터 시작해야 일이 원활하게 풀어 나갈 수 있다는 것을 깨달았습니다. 그만큼 저의 위치가 중요하다는 것을 알게 되었습니다.

대학원에서 식품영양학과의 모든 과목이 재미있었습니다. 특히 1학년 1학기 과목인 '식문화와 푸드서비스 산업'은 식문화에 대한 역사와 현재까지 전반적인 상황을 배우며 매주 동영상을 보고 댓글을 일일이 다는 것이 재미있었습니다. 다른 원우들이 5줄 이내로 답변을 달 때, 저는 20줄 이상씩 답변을 달았습니다.

어느 선배님께서 모 원우님께서 너무 답변을 많이 단다고 했을 때, 교수님께서 회사에서 받은 스트레스를 푼다고 하셨던 답변도 기억납니다. 식품안전특론은 제가 23년 회사를 다니면서 리콜 때 또는 미국회사 수검, 미국회사 검역처 수검 시 받았던 내용들 이기에 익숙했습니다. 입학한 2월에 미국회사에서 김치에 대한 PH 농도에 대한 문의 및 적용 시 교수님께서 세계김치연구소의 답변을 받아 주셔서 대처했던 경험이 있습니다.

식품 및 조리과학의 경우, 직접 두부를 만들고 한국 내 대학 최고의 기자재 실험실에서 교수님과 튜터 선생님의 도움으로 실험도 했었습니다. 미국회사 요청으로 두부납품을 준비하면서 000에 컨설팅을 해 주었던 경험이 보람으로 남아 있습니다.

식생활 교육과 영양정보의 경우, 중간 과제인 엑셀은 평소에 사용하던 프로그램이라 익숙했습니다. SPSS 통계 프로그램은 처음 접하는 프로그램이고 과정과 수식이 섞여 있어서 풀어내기 쉽지 않았습니다. 그러나, 86번의 시행착오와 튜터 선생님의 도움, 원우님들과의 소통으로 결론을 도출할 수 있었습니다.

저는 새벽 06시까지 출근하여 오후 3시 30분에 퇴근합니다. 퇴근하면서 강의를 듣고, 집에 와서 집안일을 한 후 운동을 1시간 합니다. 귀가 후 정리 30분 정도하고 취침을 했었습니다. 점심시간에는 특별한 일이 없으면 간단한 요기 후 강의를 듣고 정리합니다. 주말에는 못다 한 과제를 반드시 해야 다음 주를 준비할 수 있습니다.

대학원 졸업 후 저는 법학과 3학년에 편입을 하여 자기소개 및 대화를 해보니, 동료 학우들께서 대학원 영어시험에 대한 막연한 두려움을 가지고 계셨습니다. 대학원 공부도 학부 공부와 마찬가지로 기출문제를 보고 유형을 파악한 후 외우고 시험을 보면 누구나 통과할 수 있습니다. 저는 19기 동기들부터 21기 후배 원우님들까지 영어시험 반을 운영하여 본인만 과정을 잘 따라오면, 높은 합격률을 결과로 보여 주었습니다.

생활과학대학원 19기의 공식 세미나는, 문화 세미나와 각 지역 세미나로 나눌 수 있습니다. 문화 세미나는 서오릉,

강화도, 서촌, 종묘 등 유네스코 문화유산에 등재된 한국의 전통 문화재를 전문가급 부회장의 설명으로 이해할 수 있었습니다. 또한, 서울 본교를 시작으로 부산, 대전, 울산 모임을 통해 그 지역 원우님들과 선배님들을 만나 뵙고 공부의 노하우와 응원을 서로 나눌 수 있었습니다.

대학원은 1학년 1학기가 중요합니다. 어렵게 들어온 대학원이지만 1학기때 자퇴하는 분들이 많았습니다. 논문 찾기, 논문 읽기, 논문 정리에 대해 이해도를 높이기 위해 줌 미팅을 했었습니다. 원우회 집행부는 1학년 1학기 2주에 한 번씩 만남을 가져 원우들의 고충을 선배님과의 대화로 해소시켜 주려고 했습니다. 각 과제에 대해서도 스터디 방을 별도로 만들어 각 학과가 해결하려고 하였습니다. 윗 선배 기수 원우회장님과 매일 통화를 하였습니다. 또한 원우들이 공부하는데 불편한 점이 없도록 매일 원우님 한 분 한 분과 통화하였습니다. 영어시험 반과 종합시험 반을 만들어 같이 공부하였습니다. 그 결과 다른 기수보다 2배수 많은 인원이 졸업할 수 있었습니다.

종합시험을 준비할 때, 선배님들로부터 들은 팁은 '무조건 볼펜 5자루, 다이어리 2권을 써라'입니다. 1주 10장, 2주 20장, 3주 30장, 4주 40장을 동기 원우들과 썼었습니다. 그랬더니 시험 전 날 윤곽이 보이고 머릿속에서 정리가 되었습니다. 시험장에서는 손이 먼저 써지는 경험도 하게 되었습니다.

시험지를 받고 나서는 뼈대를 전문 용어로 완성하고 살을 붙이는 방식도 가능했습니다. 종합시험 점수 결과 발표날, 다른 원우님들의 합격소식을 듣고 저도 홈페이지에서 확인을 했습니다. '합격'이라는 두 글자를 보았을 때, 떨리는 마음을 주체할 수 없었습니다. 회사 사무실 직원들이 점심식사를 같이 하자고 했지만, 저는 사무실에 남는다고 하였고, 모두 나가자마자 사무실을 소리치면 뛰어다녔습니다.

저는 졸업 후 다시 법학과 3학년에 편입하였습니다. 그 이유는 2001년, 2006년에 이어 3번째 법학과 졸업 도전이며, 23년 만에 재 입학입니다. 학부 졸업 후 미국 변호사 시험을 볼 예정입니다. 현재 회사에는 71세까지 다닐 수 있지만, 제가 공부하고 익힌 지식을 법학으로 정리하여 방어력을 높이고 타인의 불편을 덜어주고 기쁨을 배가 되도록 도와주면서 살고 싶습니다.

개인적으로는 술과 담배를 끊었습니다. 마음가짐과 몸가짐에 대해 생각하게 되었습니다. 말에도 크지 않지만 힘이 느껴집니다. 온화해졌습니다. 세상을 바라보는 시선이 화보다는 원인과 결과로 바라봅니다. 대화를 하며 그 사람을 조금 더 알게 됩니다. 협상과 타협을 하게 되었습니다.

학부는 주어진 공부를 그대로 익히는 단계로 보입니다. 석사는 주어진 환경을 원인과 결과로 바라보게 된다고 생각합니다. 분석도 가능합니다. 논문을 읽고 정리하게 됩니다. 내 지식을 더 쌓게 됩니다. 진정한 공부는 마음에서 우러나와서 스스로 찾는 것임을 알게 됩니다. 2년 6개월 준비해서 졸업하는 대학원에서 큰 기쁨을 느꼈습니다. 또다시 2년을 준비하여 큰 기쁨을 느끼고자 합니다.

지금 현실이 힘들 수도 있습니다. 모든 것이 불편하고 불만일 수도 있습니다. 세상은 공평하지 않다는 것을 경험할 수도 있습니다. 남을 바꾸기보다 더 쉬운 것이 나를 바꾸는 것으로 보입니다.

여러분들도 하실 수 있습니다. 바로 지금입니다.
저는 이제 과거를 말하는 모임에 참석하지 않습니다. 미래에 꿈과 실천을 가득 찬 분들을 만나고 용기와 힘을 주고 싶습니다.

예를 들어, 어떤 분이 공부를 하고 싶다면, 대학원이 가고 싶다면, 책을 내고 싶다면, 자격증 공부를 하고 싶다면, 그 이유를 듣고 이해하고 안내해 줄 것입니다. 공부는 내 마음에서 우러나와야 가능합니다. 그러기 위해서는 꿈과 목표가 명확해야 합니다. 그래야 그꿈과 목표를 향해 달려나갈 수 있습니다.

어느 원우님께서는 6년 전에 꿈꾸었던 책을 6개월 만에 만들고 그 책으로 영어판도 만들었으며 그 책으로 공연도 하고 국제도서전에 출품도 하고 강연도 할 예정입니다. 어떻게 가능할까요? 서로의 손을 잡고 서로 응원하고 서로 용기를 북돋아 주면 가능하다고 생각합니다.

여러분도 하실 수 있습니다.

 같이 어깨 걸고, 작게는 대학원 졸업, 크게는 소망하던 바를 모두 다 이루시길 바랍니다.

'나의 인적, 지적 유산 답사기'

가정복지상담학전공 김삼곤(19기)

저는 사회복지 시설에서 사회복지사로 일을 하고 있습니다. 노숙인 요양시설에서 노숙인을 보살피고, 상담, 위생관리, 프로그램 진행까지 다양한 일을 하고 있습니다.

자격증은 주로 생계형 자격증이 많습니다. 운전면허는 대형면허와 견인면허까지 취득하였으며 택시면허, 버스면허, 화물운송 종사자면허까지 있습니다. 사회복지시설 특성상 사회복지사, 장애인활동보조사, 요양보호사까지 있습니다. 관광학을 전공하여 국내여행안내사, 국외여행인솔자 자격증도 있으며, 한국사능력시험중급, 수렵면허, 바리스타 자격증도 있습니다.

대학원에 진학한 이유는 첫 번째 새로운 사람들을 만나고 싶었습니다. 새로운 사람들에 대한 설레임이 늘 있습니다. 두 번째는 지금 제가 하고 있는 일에 조금이라도 도움이 되었으면 하는 바람입니다.

방송대를 선택한 이유는 제가 3교대 근무를 해서 일반 대학원을 다닐 수 없고, 학부를 여러 번 졸업했기 때문에 방송대 시스템에 익숙합니다.

대학원을 졸업하면서 저도 모르게 바뀐 것들이 있습니다. 세상을 보는 시선이 넓어진 느낌을 받습니다. 조금은 긍정적으로 어떤 일을 해도 여유롭게 할 수 있는 자신감이 생겼습니다. 대학원 졸업 후에 제 스스로가 더 성장했다고 생각합니다.

대학원 수업 중에서 생활과학과 과목은 아니지만 평생교육학과 '노인교육연구'를 수강할 때 가장 관심이 많았습니다. 교수님께서 수업내용을 노인 관련 영화나 사회복지 관련 영화의 예를 들어 설명해 주셨고 노인 문제가 '남의 일이 아니구나'라고 느꼈고, 현실적인 문제지만 즐겁게 공부했습니다.

역시 일과 학업을 동시에 하는 것이 가장 힘들었습니다. 근무 특성상 주말과 휴일에 근무하는 경우가 많아 학교 행사에 많이 참석하지 못해 아쉬움이 많이 남습니다.

공부를 하는 동안 특별한 노하우는 없었습니다. 학부와 달리 꾸준히 수업 듣고, 쉬는 날에 집중해서 과제물을 작성 했습니다. 중간고사와 기말고사 때는 모든 약속을 미루고 시험 준비만 했던게 노하우?라고 얘기하고 싶네요. 본인이 좋아하는 것 중에 한가지 정도는 포기하고 졸업 후에 하시면 됩니다.

대학원을 다니면서 가장 염려하였던 부분이 졸업을 위한 종합시험이었습니다. 이 부분은 원우들과의 유대관계가 중요하였고 영어시험은 원우회장이 많은 도움을 주었습니다. 영어원문을 해석 해주고 매주 줌(Zoom)수업을 하며, 원우들과 꾸준히 읽고, 쓰는 것을 반복하며, 원우들과 같이 했던 것이 합격의 비결이라고 생각합니다.

졸업시험은 원우회장과 전공은 다르지만 매주 원우들과 정보를 공유하며 서로를 격려하면서 공부했고, 사회복지시설에서 근무를 하다보니 시험 답안 작성 시 그 동안 생활했던 내용 등을 자신있게 제 생각을 서술했던 것이 도움이 되었습니다.

생활과학대학원 19기는 다른 기수와 많이 다르다고 생각합니다, 원우회장 주도하에 모든 행사를 준비하고, 저는 문화세미나를 진행 하면서 원우들과 많이 친해졌다고 생각합니다. 저 또한 행사를 준비하는 과정에서 공부하고 스스로 더 성장하는 기회였습니다. 지방의 원우들과 만나기 위해 먼 곳이라도 원우회 임원들과 같이 갔던게 친목을 다지는데 가장 큰 원동력이었습니다. 역시 자주 만나는게 가장 좋은 방법이라고 생각합니다.

공부를 하면서 가장 많이 생각하고 했던 행동들은 늘 감사하며, 좋은 기운 받을 수 있는 곳도 가보고, 원우들 모두 합격했으면 하는 바람을 가지고 늘 기원했습니다.

읽고, 쓰고 외우는 무한 반복 외에는 특별한 방법은 없었던 것 같습니다. 그렇게 공부하고 종합시험을 끝낸 후, 높은 점수를 바라는 건 아니었지만 턱걸이로 합격. 오히려 100점 만점으로 합격하는 것보다 더 짜릿하죠. 기쁨은 말로 표현 못 합니다.

대학원을 졸업하면 무언가 특별한 것이 생길 줄 알았지만, 특별한 일은 없습니다. 특별한 변화보다는 제 자신의 마음가짐이 변화된 느낌을 받는거죠, 여유와 자신감이 생겼습니다. 제 스스로 성장했다는 느낌을 많이 받습니다.

 대학원과 일을 병행하다보니 많이 힘든 것은 사실입니다. 하지만, 대학원에 진학하였다면 졸업해보는게 좋습니다. 졸업하면서 과정 하나하나가 소중한 추억으로 남습니다. 그 과정에서 느낄 수 있는 자신감이 본인도 모르게 생겨 납니다. 가장 중요한건 석사학위보다 더 소중한 원우들이 생겼다는 겁니다. 석사학위 보다 더 소중한 추억을 만들어 보세요.

 저도 벌써 중년이 되었습니다. 굳이 조언을 해본다면 중·장년층들에게는 잘하는 것을 하라고 말하고 싶습니다. 실패를 반복하지 말고 이제는 마음 편하게 할 수 있는, 잘하는 일을 해보세요!! 청년들에게는 하고 싶은 일을 하라고 말하고 싶습니다. 본인이 느끼고 깨달을 때까지 하고 싶은 일을 해보세요!!

 지나고 보니 석사학위보다 값진 대학원 원우들을 얻은 것이 가장 잘한 일이라고 생각합니다. 19기 원우 여러분, 진심으로 감사드립니다.

'MZ세대로서의 대학원'

식품영양학전공 임영진(19기)

 안녕하세요, 저는 국립 한국방송통신대학교 생활과학대학원 식품영양학전공 임영진입니다. 저는 19기 대학원 원우님들 중에 가장 어린, 요즘 흔히 말하는 MZ세대입니다.

 저는 외식조리학과에서 교직 이수를 하고 졸업하여 고등학교에서 기간제교사로 근무하고 있었습니다. 외식조리학과에서는 영양학과 조리학 등의 이론보다는 실기 과목 위주의 공부를 주로 했기에 이론에 아주 약하다는 생각을 항상 하고 있었습니다. 어떻게 하면 이론 공부를 효율적으로 할수 있을까? 라고, 생각했을 때 대학원에 가야겠다는 생각이 들었습니다.
 그러나 지방에서 일하고 있어 출석 수업을 듣지 못할 것같아 찾아보고 알게 된 곳이 바로 국립 한국방송통신대학교 대학원입니다. 저렴한 학비로 어디서든 들을 수 있는 훌륭한 강의를 듣기 위해 국립 한국방송통신대학교 대학원(이후 방송대학원으로 줄임)에 입학하게 되었습니다.

 저는 27살에 방송대학원를 입학 하여 현재는 29살입니다. 사실 제 또래의 친구들은 방송대학원는 어른들만 가는 학교라고 생각하고 있습니다. 저 또한 그렇게 생각하고 있었습니다. 20대인 저와는 상관없는 학교라고 생각하며 살고 있었습니다. 하지만 2020년 코로나19로 인해 제가 일하고 있는 고등학교에서 비대면 수업을 진행해야 했습니다. 비

86

대면 수업을 하는 것도 많은 어려움이 있었고, 학생들이 '비대면 수업을 잘 들을 수 있을까?'라는 생각이 들었습니다. 그렇지만 생각보다 비대면 수업에 대해 학생들이 긍정적으로 반응하는 모습에 비대면 수업의 장점을 많이 알게 되었습니다. 비대면 수업, 온라인 수업, 사이버 강의가 활성화되면서 긍정적인 면을 많이 마주하게 되었습니다. 코로나19가 장기간 지속되었지만, 비대면 수업에 대한 생각이 매우 긍정적으로 변화하였습니다. 우리 생활과학부 19기는 20대인 저를 포함하여 40~60대의 원우들로 구성되어 있습니다. 그래서 처음 입학했을 때는 '여기서 내가 졸업을 할 수 있을까? 내가 잘 적응할 수 있을까?'라는 생각이 들었습니다.

그러나 그런 걱정은 저의 기우에 불과하였고 원우들에게 대학원 생활에 대해 많은 도움을 받을 수 있었습니다. 60대 대학원 원우님들에게는 과제를 도움받고, 50대 대학원 원우님에게 시험에 대한 정보를 공유해 드리며 함께 하는 동지애를 느낄 수 있었습니다. 나이는 달라도 공부하고자 하는 열정은 다 똑같다는 것을 다시금 알게 되었습니다.

요즘 사회에서는 MZ세대를 좋은 뜻으로 이야기하기도 하고 좋지 않은 뜻으로 이야기할 때도 많습니다. 그렇지만 19기 대표 MZ세대로 말씀드리면 방송대학원은 MZ세대가 다니기에 매우 훌륭한 대학교(대학원)라 말할 수 있습니다. 다양한 연령대 사람들이 경험한 삶을 나눌 수 있고, 방송대학원는 국립이라서 역량이 우수한 교수님들의 수업을 들을 수 있습니다.

무엇보다 저렴한 학비로 석사를 취득할 수 있다는 장점이 있습니다. 아직도 방송대학원는 20대가 가는 학교가 아니라고 생각하는 사람들도 많을 것입니다. 그러나 방송대학원는 '어른들만' 가는 학교가 아니라 '진짜 삶의 주인이 되고 싶은 어른들'이 가는 학교라는 것을 알게 된다면 여러분들도 국립 한국방송통신대학원이 주는 보물을 갖게 될 것이라 믿어 의심치 않습니다.

지방 대학원생이라서 오프라인 행사에 참석하기가 아주 힘들었습니다. 하지만 19기 원우회와 원우들의 배려로 부산에서 모인 적이 있었습니다. 비행기와 기차를 타고 부산역에 같이 모였는데 온라인으로 보던 원우님이 실제로 만나보니 너무 신기했습니다. 살짝 연예인 보는 느낌이랄까요?
내적 친밀감이 있던 원우들이지만 모임에 자주 참여하지 못해 다가가기 어려웠습니다. 하지만 19기 원우님들이 너무 살갑게 대해주셔서 편안한 분위기에서 행사에 참여했습니다. 최강 19기 원우회라서 자주 참석하지 못한 원우님들도 편안하게 참석할 수 있는 게 아닌가 싶었습니다.

5학기 동안 학교에 다니며 저에겐 10번의 중간고사와 기말고사가 있었습니다. 대학원의 중간고사는 4월, 기말고사는 6월입니다. 고등학교의 중간고사는 4월, 기말고사는 7월입니다. 그래서 저는 대학원의 시험 기간과 일하고 있는 고등학교의 시험 출제 기간이 겹치게 되어 힘들 때가 많았습니다. 그렇게 대학원의 중간고사와 기말고사가 끝나면 시원한 마음보다 고등학교 시험문제 출제 오류 등으로 인해 조마조마하는 시간을 가졌습니다. 그래서 3학기 중간고사 과제를 하며 휴학을 생각하기도 했습니다. 하지만 휴학을 하면 19기 대학원 원우님들과 함께하기 어렵겠다는 생각이 들어 4학기 등록을 했습니다. 항상 응원해 주는 19기 원우회가 있어 10번의 시험을 성공적으로 마무리할 수 있었습니다.

종합 시험과 외국어 시험은 졸업을 위해서는 꼭 합격해야 하는 시험으로 대부분의 대학원 원우님은 외국어 시험을 먼저 치고 종합 시험을 한 과목씩 칠 것입니다. 하지만 저의 졸업시험은 달랐습니다. 시험 일정과 회사의 일정이 겹치는 일이 많아 마지막 시험의 기회에 저는 종합 시험 2과목(영양학특론, 식품 및 조리과학)을 함께 신청하게 되었습니다. 항상 도움을 주시는 우리 서재호 원우회장님과 여러 대학원 원우님들 덕분에 힘을 내 공부하게 되었고 종합 시험을 우수한 성적으로 합격하게 되었습니다. 하지만 외국어 시험이 남았는걸요, 저는 사실 외국어 시험 대체 응시하려고 했습니다. 외국어 시험 대체 응시는 TOEIC 650점 이상입니다. 그래서 토익학원에 등록하여 토익시험을 응시했는데 생각보다 토익이 너무 어려워서 결국 제출일까지 650점의 토익 성적표를 제출하지 못했습니다. 그래서 결국 모든 학기가 끝난 후 여름에 외국어 시험을 응시하게 되었고 지금, 이 글을 작성하고 있는 9월 13일 결과가 나왔는데 합격했답니다. 여러 가지 도움을 주신 우리 19기 대학원 원우님들 정말 감사합니다. 저는 종합 시험보다 외국어

시험이 더 어려웠던 것 같습니다. 그래서 외국어 시험을 먼저 합격하시고 종합 시험을 한 과목씩 응시하는 것이 제일 좋을 방법인 것 같습니다.

저는 19기 원우회 총무를 맡았습니다. 대학원 합격 발표가 난 뒤 개인 사정으로 온라인 신입생 OT에 참석하지 못했습니다. 그로부터 며칠 뒤 서재호 원우회장님이 원우회 총무직을 제안하셨습니다. 처음에는 자신이 없어 거절하였지만, 조금이나마 원우회에 도움이 되고 싶어 원우회 총무직을 수락하고 자랑스러운 19기 원우회 총무가 되었습니다. 원우회 회의 중 원우회비를 어디에 사용하나요? 라는 질문에 경조사비, 행사 진행비 등으로 사용한다는 이야기를 듣게 되었습니다. 그러기에는 원우회비가 많이 남을 것 같아서 시험 기간 기프티콘 전송이벤트를 제안하게 되었습니다. 내가 낸 원우회비로 내가 선물 받는 것이지만 시험 기간 응원을 받을 수 있는 느낌이 들어 좋은 것 같았습니다. 임원진들과 여러 대학원 원우님의 찬성으로 진행하게 되었고, 총 10번의 시험 기간 기프티콘 발송과 졸업선물 상품권 발송이 있었습니다. 기프티콘을 발송하면 개인 카카오톡으로 보내졌습니다. 그러면 대학원 원우님들께 답장을 받게 되는데 "감사합니다", "고맙습니다", "시험 잘 보세요" 등 좋은 말씀을 해주시거나 안부를 물어주시거나 응원을 해주실 때 정말 기분이 좋고 뿌듯했습니다. 저는 그저 대학원 원우님들의 원우회비로 기프티콘을 구매하여 전달해 준 것뿐이지만 항상 기분 좋은 답장을 해주셔서 다시 한번 감사합니다.

지금, 이 글을 쓰고 있는 저는 아직 졸업하지 못했습니다. 하지만 외국어 시험 합격이 된 지금은 2025년 전기 졸업 예정자입니다. 다음 학기에 졸업하지만 19기 원우님들과 같이 졸업사진을 찍으면서 같이 졸업한다는 느낌은 잊지 못할 경험이었습니다. 그리고 대학원에서 식품영양학에 관련된 공부를 하며 박사과정까지 관심이 가게 되었습니다. 지금 당장 박사과정에 진학하기에는 부족하지만, 박사과정에 진학하여 식품영양학 전문가가 되어보도록 하겠습니다.

안녕하세요, 국립 한국방송통신대학교 생활과학대학원은 여러분들을 기다리고 있습니다. 20대부터 40대, 70대까지 남녀노소 모두 공부할 수 있는 곳이 바로 국립 한국방송통신대학교 대학원입니다. 석사의 꿈을 꾸고 계신 미래 후배님들, 꼭 저의 후배가 되어주세요~

'사랑하는 두 딸에게'

가정복지상담학전공 심석영(19기)

"엄마, 졸업 축하해." 대학원 졸업식날 너희 말이 생각나네. 아이들 키우면서, 일하면서, 집안일 하면서, 대학원 졸업까지 하느라고 정말로 힘들었는데 내 두 딸들이 있어서 하나씩 해결해 나갔네. 고마워~

엄마가 피아노를 전공했다라는 것은 너희들도 잘 알테고 엄마가 남천병원, 호스피스, 내손초등학교, 과천문화원등에서 일하는것도 잘 알고 있지? 게다가 우린 아코디언으로 읽어주는 그림책시리즈로 벌써 두 번째 책을 출간했잖아?

엄마가 대학원을 진학하고 싶다고 말하였을때 너희들은 반짝이는 눈동자로 엄마를 쳐다보면서, "엄마, 대학원을 가면 엄마가 집에 없어?"라고 첫 번째로 물어보았는데 생각나? 예전에 다른 대학원에 가려고 준비 하였을때 한 학기당 등록금이 800만원이라고 말한 것을 너희들이 기억해내고 "800만원이면 내가 좋아하는 뿌링클 치킨이 도대체 몇 마리야?"라고 말하면서 "엄마, 꼭 대학원을 가야해?"라고 했잖아? 아마 그 두 가지 이유가 엄마를 방송통신대학원으로 진학하게 한 가장 큰 이유였던 것 같아.

원격수업으로 너희들이 학교에 간 사이에 공부하고 아낀 등록금으로 뿌링클 치킨을 사주기로 마음 먹었으니 방송통신대학원은 두 마리 토끼를 모두 잡을수 있는 최고의 선택이였던 것 같네. 엄마 생각 잘했어?

　물론 대학원에 진학하려 하였을 때 가장 큰 고민거리는 영어에 관련된 것이었어. 영어 공부를 하지 않은지 거의 20년이 지나버렸고 이제는 단어 철자도 헷갈리기 시작했으니까 말이야.
　물론 대부분의 대학원에서 영어를 어느 정도 사용하기를 바랐고. 방송통신대학원도 영어시험이 있었지. 그 시험을 준비할 때는 어떻게 pass를 했는지 기억도 안 나.

　대학원을 다니면서 가장 도움이 되었고 즐거웠던 수업은 비영리기관관리 운영특론 수업과 생활과학 연구방법론이라는 수업이었어. 엄마가 생활과학 연구방법론을 공부할 때 너희들은 맨날 엄마에게 "엄마, 이번 수업은 컴퓨터로 하는 것이 너무 많은데? 이 표는 어떤 뜻이야?"라고 물어보았던 거 생각나? 평생 음악 관련 일만 하던 나에게 SPSS는 너무나 힘들었던 수업이었어.
　다른 원우들이나 선배님들도 그 수업은 어렵고 힘들었다고 하셨어. 또 비영리기관 운영관리 특론수업도 참 좋았는데 현장에서 근 20년간 자원봉사나 음악치료 수업을 하던 나에게는 그다지 어렵게 와 닿지는 않았어. 건강가정지원센터(현 가족센터)에서 음악강사로, 양성평등 강사등으로 강의를 하고 장애인 복지관과 노인복지관, 장애인 자립센터(방송통신대학교와 MOU맺은 희망터)등에서 활동을 하다보니 현실적인 문제들, 보완점, 사회복지사들의 고충이 보였기 때문에 재미있고 즐거웠던 기억이 있네.

하던 일을 유지하면서 대학원 공부를 한다는 것은 정말 어려운 일이었던 것 같아. 엄마는 졸업을 위한 종합시험과 영어시험을 동시에 공부해야 하는 상황이었는데 따로 공부할 시간이 많지 않아서 너희들 학원 데려다주고 차 안에서, 아니면 학원 앞 벤치에 앉아서, 저녁밥 차려 주자마자 잠잘 때까지 공부만 했지. 지금 되돌아봐도 정말 열심히 공부했던 시절이었네. 일은 계속하는 중이였으니 그러한 짧은 시간 말고는 공부할 시간이 없었잖아? 집안은 먼지가 굴러다니고 세탁기와 건조기에는 빨래가 가득했고 아무리 공부해도 시간은 모자란 느낌이었어.

그렇게 짜투리 시간들로만 공부를 하면서 볼펜 7자루를 다 쓰고 손목이 아플 때 까지 글씨를 쓰면서 외우다 보니 볼펜도 중성펜이 힘이 덜 들고 중성펜보다는 만년필로 글씨를 쓰는 것이 힘이 안 든다라는 것도 알게 되었어. 연필의 사각거림을 좋아하던 나였는데 지금은 연필보다는 만년필을 사랑하게 되었지.

엄마 친구중에 대학원을 가고 싶어 하는데 영어시험 때문에 망설이는 사람들이 생각보다 많더라. 영어에 대한 막연한 두려움과 대학원 영어시험이면 얼마나 어려울까라는 생각으로 대학원에 등록 못 하는 지인들이 많더라고. 어느 대학원을 진학하든 간에 영어시험에 대한 두려움을 있을 수 있겠지. 엄마 또한 그 두려움에 몇 년간 고민했었으니까 말이야. 그런데 대학원에 들어와 보니 할 만하더라고. 영어시험보다는 대학원이라는 전문 지식을 습득하고 평가받는 종합시험이 더욱 어려운 느낌이었어. 원우들과 졸업이라는 허들을 넘기 위해 어깨 걸고 같이 넘어가려고 노력했던 것들이 엄마에겐 정말 많은 도움이 되었던 것 같아.

이러한 원우들과의 결속력은 서재호 원우회장님과 김삼곤 부회장님의 리더쉽이 아주 큰 영향을 끼쳤어. 우선 원우들 간의 친목 도모를 위한 문화 세미나로 시작한다고 했지만 문화를 통한 역사 공부, 역사를 통한 현재 대한민국의 상황, 나아가서는 동북 아시아간의 관계를 이해하고 예측할 수 있는 현장 세미나라고 여겨졌어. 현장 학습을 통한 이해와 원우간의 토론등으로 한 사물이나 환경을 바라보는 시선이 향상되었다는 것을 느꼈어. 너희들과 같이 문화 세미나를 참석할 때엔 너희들을 배려해주심에 감사했어. 너희들도 또 가고 싶다고 했고 몇 번 더 참석했잖아? 재미있었지?

누군가 엄마에게 그러더라고. 왜 끊임없이 공부하냐고. 그만할 때도 되지 않았냐고... 그런데 사고를 하지 않는 순간 나의 존재 가치가 사라지는 느낌을 받을 때가 있어. 물론 존재 가치를 인정받고 싶어서 계속 공부하는 것은 아닐까 라는 생각도 했던 때가 있었지. 하지만 엄만 그냥 호기심이 많은 사람인 것 같아. 호기심이 워낙 많다 보니 원인과 결과를 알고 싶었고 원인을 찾아가기 위해, 호기심을 해결해 나가기 위해 공부를 하는 것 같아. 물론 배운 지식을 현재 상황에 적용하여 사용하게 될 때 "아, 나 공부한 사람 맞는구나. 이렇게 응용도 할 수 있네? 그렇다면 이 부분은?"이라고 스스로에게 질문하곤 해. 이런 꼬리에 꼬리를 무는 생각들을 정리하고 해결하려는 것이 다른 사람과 다르다면 다른 부분인 것 같아. 게다가 엄마에겐 남들과 다른 실행력이라는 강력한 무기가 있거든.

그러한 실행력을 바탕으로 의문점 등을 탐구했던 것 같아. 음악 치료를 하면서 부족했던 원인에 대해 알아보자, 라는 생각으로 가족 상담을 공부했고, 공부하고 보니 좀 더 효과적이고 상담자를 이해할 수 있게 되는 상황이 되어 나 자신이 향상되었다고 느끼는 만족감이 있어.

대학원을 다니고 졸업하면서 만났던 많은 대학원 원우 중에는 대학원 공부가 현재 직장에서 많은 도움이 되는 원우들도 있지만 그렇지 않은 경우도 있더라. 대학원 졸업장이 새로운 직장으로 취직할 때 도움이 되는 예도 있고 그냥 하나의 석사학위로 마무리 되어 장롱면허처럼 쳐박히는 경우도 있을거야.

엄마는 25년 동안 하던 음악 전문 강사 일을 정리하고 새로운 일을 하고 있잖아? 대학원을 다니면서 출판사 대표가 되었고 두 번째 책을 출간했지. 물론 그림책을 만드는 일도 예전에 하던 일 중에 하나였지만 좀 더 확장이 되어가는 중인 것 같아. 그렇게 확장할 수 있는 이유 중의 하나는 바로 대학원에서 공부하면서 사고의 확장성과 호기심, 그리고 인적자원 등과 기존에 가지고 있던 추진력과 시너지를 발휘하게 된 것 같아.

엄마가 만들고 있는 그림책들은 종합예술로써의 다원 예술. 그림과 음악과 낭독이 함께 있는 아코디언 공연이잖아? 나의 가장 큰 자산인 두 딸이 낭독을 해주고 있어서 엄마는 너무 행복해. 책 속에 글을 읽어주는 너희들의 목소리를 들으면 언제 이리 많이 컸나? 라는 생각도 든단다.

엄마가 생각하고 있는 계획들이 있는데 그중 하나는 이 그림책으로 대전에서 있을 북 박람회에 참가하고 국제 그림책 공모전이나 국제 그림책 박람회에 참석할 예정이야. 너희 둘은 그림책의 낭독자로 초청될 수도 있겠지?

엄마에게는 두 번의 인생의 전환점이 있었던 것 같은데 그 전환점 중에 두 번째 전환점을 돌고 있는 기분이 들어.
그 첫 번째는 결혼하여 너희를 낳고 키웠던 것이 내 인생의 커다란 전환점이었고 그 전환점으로 나에게 가장 큰 힘의 원동력인 가족을 얻게 되었어.
두 번째 전환점은 지금 같은데 대학원을 졸업하면서 좀 더 강한 자신감과 일을 실행하기 위한 기획력과 더욱더 강력해진 추진력, 그리고 대학원에서 알게 된 동기, 선배들 간의 인적자원으로 무장된 지금의 내가 두 번째 전환점을 맞이한 것 같아.
그 두 번째 전환점을 돌면서 음악을 바탕으로 전반적인 종합예술을 꿈꾸고 있어. 그리고 엄마는 일기를 초등학생 이후로 계속 쓰고 있는데, 기록이란 너무 중요한 일부분이라는 것을 잘 알게 되었어. 그 기록을 바탕으로 책이나, 그림책으로 정리 정돈하고 있다라는 것도 느껴. 게다가 현재 나에게 필요한 사람들이 내 곁에 나타나서 나에게 도움만 주다가 각자 갈 길로 흩어지고 있다라는 것도 느끼고 있어. 마치 2번이나 까미노 길을 갔을 때 느꼈던 그 느낌을 지금도 느끼고 있는 기분이야.

만약 엄마에게 너희들이 없었다면 대학원에 입학하고 새로운 일들을 해 나가는 데에 아주 힘들었을 거야. 너희들이 있어서 용기를 내고 너희들에게 창피하지 않도록 최선을 다했던 것 같아. 너희들이 없었다면 새로운 도전을 해보려고 시도조차 하지 않았겠지.

너희도 하고 싶은 것이 무엇인지 적어보고 그 하고 싶은 일들을 하기 위해 무엇을 준비해야 하는지 생각해 봐. 그리고 하나씩 계속하는 거야.

언제까지? 맘에 들 때까지.

2024년 8월 21일(수)
대학원을 졸업하는 날
너희를 사랑하는 엄마가

ps : 아빠에게도 전해줘.

'자갸, 맨날 힘들다고 찡찡대고, 먼지에도 걸려 넘어지고, 구멍 많은 내 옆에 있어 주어서 고마워요~'

'준비된 사람에게 찾아오는 기회'

식품영양학전공 김금숙(19기)

방송대학원에 입학하기 전에 국립 한국방송통신대학교 식품영양학과 2학년 편입하여 재미있게 열심히 공부해서 영양사와 위생사 면허증을 취득하였고 졸업할 때는 성적우수상을 받았습니다. 그리고 1년 동안 다음은 무엇을 할지 고민하였습니다. 그러다가 대학원에 진학하여 식품영양학을 좀더 깊이 있게 공부해 보고 싶다는 생각이 들었습니다.

결혼 전에는 시각디자인학과를 공부하여 실기 미술 교사 자격증이 있었습니다. 광고회사에 다녀 컴퓨터 광고용 프로그램을 조금 다룰 줄 알고 있었고 결혼 후에는 현모양처가 되어 남편 뒷바라지와 아이들 키웠습니다. 하지만 컴퓨터그래픽 쪽에 항상 관심이 있었습니다. 그러나 그 방향으로 취업은 쉽지 않았고 '경력단절여'가 되었습니다.

국립 한국방송통신대학교 생활과학대학원을 진학했던 이유는 아이들이 대학교에 들어가니 손길을 더 이상 필요로 하지 않고, 빈집 증후군으로 인생의 허전함을 느끼고 있었습니다. 그러다가 국립 한국방송통신대학교를 알게 되었고, 온라인 강의가 잘 되어 있다고 했습니다. 공허한 시간의 공백을 메우기에 유리하고, 일과 함께 공부할 수 있고, 경제적으로 부족한 환경에서 공부하기에 좋은 학교라 생각하였습니다.

대학원을 졸업한 후에는 나이도 많아서 취업하기는 힘들다고 생각되었습니다. 그래서 남편과 함께 운영하는 작은 회사에 도움이 되기 위해 식품 가공 분야와 식품영양학에 조금 더 공부하기로 하였습니다.

　대학원은 동영상 강의가 있어서 시간이 부족한 사람들이 공부하기에 좋은 환경이라 생각합니다. 만약 더 젊은 나이에 이런 좋은 환경이 있었더라면 나의 모습은 많이 변해 있을 거란 생각이 듭니다. 지금의 적지 않은 나이가 원하는 진로를 선택하는데 발목을 잡는다는 느낌이 듭니다. 하지만 100세 시대로 남은 시간을 윤택하게 보내기 위해 노력하고자 합니다. 경제활동과 연결되지 않더라도 나의 지식 창고를 채우기 위해 노력하고자 합니다. 그런 의미에서 방송통신대학교는 좋은 대안인 것 같습니다.

　식품영양학을 전공하였는데 전공 과목 모두가 재미있었습니다. TV 건강프로그램에서 말하는 영양학 용어와 그 영양소가 왜 우리 몸에 필요한지를 이해하게 되었습니다. 홈쇼핑에서 판매하는 건강기능식품들이 우리 몸에 도움을 준다는 이유를 더 자세히 알기 위해 논문과 책을 찾아보곤 하였습니다. 또한 의사 선생님께서 말씀해 주신 용어들을 알아들을 수 있어서 내가 유식해진 것 같은 기분이 들었습니다.

　건강은 젊었을 때부터 지켜야 한다는 이유를 아들들에게 전문적으로 말을 해주며 편식하면 안 되고, 골고루 식품을 섭취해야 한다고 말하였을 때, 그 말에 수긍하는 모습을 보고 흐뭇했습니다. 마치 영양학 전문가처럼 이론을 알고 우리 가족의 건강을 책임지는 전문적인 주부처럼 말하는 것이 나의 자존감을 높여 주었습니다. 과제를 하기 위해 대학로에 있는 학교 실험실에서 실험할 때가 가장 기억에 남습니다. 실험기구로 가득 찬 연구실에서 실험복을 입고 실험할 때는 마치 나도 연구원이 된 것 같은 기분이 들었습니다. 나의 꿈이 디자이너에서 연구원으로 바뀐 순간이었습니다.

대학원을 다니면서 가장 힘들었던 부분은 외워서 시험을 봐야 하는 부분이었습니다. 지금 생각하면 중·고등학생처럼 또박또박 외우지 않아도 되지만, 시험 점수에서 감점을 당하면 안타까웠습니다. 그래서 공부는 젊었을 때 해야 한다는 말이 실감 났습니다.

학기 중에는 수험생이 되어 자료실에서 자료를 출력하고, 제본하여 강의를 들으며, 밑줄을 그었고, 교수님의 설명을 적었습니다. 또한 중간 과제는 먼저 해당 부분 강의를 다시 한번 듣고, 과제물 작성법에 따라 과제를 작성했으며, 기말시험 때에도 강의를 여러 번 듣고 시험 준비하였습니다.

졸업시험에 해당하는 영어시험과 종합시험 2과목은 한 번(한학기)에 하나씩 공부하여 통과하자는 계획을 세웠습니다. 그만큼 부담이 가고, 힘든 시험이라 생각됩니다.

졸업시험의 영어시험 때는 시험 범위에서 우선 모르는 단어를 외었습니다. 그리고 스스로 해석을 해보았습니다. 그러면 시험 때에 내용을 잊어버리지 않게 되고, 생각이 잘 났으며, 해석을 할 수 있었습니다.

종합시험 공부는 먼저 제본한 자료를 보면서 동영상 강의를 다시 한번 들었습니다. 이것을 틈틈이 반복하여 보고 시험에 나올 것 같은 부분을 뽑아 정리해서 외웠습니다.

영어시험과 종합시험 준비 중에는 스터디 클럽에 참여하여 회장님의 지시대로 따랐고, 도태되지 않도록 노력하였습니다. 그리고, 다른 사람들이 공부한 정도와 나를 비교하며, 나의 공부 속도를 맞추었습니다. 하지만 시험에 대한 걱정이 많고, 시험에 합격 못 할까 봐 긴장하며 매일 대학원 원우님들과 통화했습니다. 서로 공부하는 방법을 알려주며 으쌰으쌰 힘을 주었던 일이 기억납니다. 우선 기출문제를 공부하였고, 외우고자 했습니다. 강의를 다시 여러 번 들어가며 모르는 부분이 없도록 노력하였고, 기출문제에 없는 출제 가능성 있는 부분을 찾고자 하였습니다. 이렇게 공부하여 시험을 치르고 성적을 확인하는 순간 합격이 되어 기뻤습니다.

공부하는 동안 스트레스도 많았고, 머리도 많이 빠졌습니다. 하지만, 다시 하지 않아도 된다는 안도감과 기쁨이 넘쳤습니다. 하면 된다는 자신감도 생겼습니다. 그리고 종합시험은 외우는 것보다 이해하고 내용의 사례와 이미지를 기억하여 문제를 접하는 것이 좋다고 생각합니다.

대학원에서 성적우수상을 받고 졸업하였지만 나이가 많아

취업하기는 힘들고, 남편이랑 함께 운영하는 회사 일을 위해 박사과정을 공부하는 것이 좋다고 생각하였습니다. 그래서 지금 노력하고 있습니다. 박사과정을 위해 학원에 다니면서 영어 공부를 하고 있습니다. 몇 년 후에는 회사가 더 커져 있을 것이고 연구소도 운영되고 있을 겁니다.

대학원을 졸업하고 나서 보니, 높은 산에 올라가면 산 아래가 더 많이, 더 넓게 보이듯이 우선 삶에 자신감이 더 생긴 것 같고, 정신적 여유가 더 생긴 것 같습니다. 학교에서 나보다 더 부지런히 사는 사람들을 만나게 되면서 겸손한 마음도 생겼습니다.

저는 공부하는 습관을 갖는 것이 좋다고 생각합니다. 막연한 공부보다는 목표를 세우고 공부하면 집중력도 좋고, 자신감도 생기며, 잡념이 없어지고, 시간이 빠르게 흐릅니다. 노후에 만약 경제적 어려움이 생길지라도 취업이 더 유리할 것으로 생각합니다. 100세 시대에 공부하며 남은 시간을 보내는 대학원 원우님들과 생각과 대화를 나누는 것이 좋을 것 같습니다.

기회는 준비된 사람들에게 찾아온다고 합니다. 즉, 공부하며 준비하고 있으면 기회가 생겼을 때 잡을 수 있다는 말입니다. 그러나 더 중요한 것은 인생은 속도보다 방향이 중요합니다. 가슴을 뛰게 하는 것, 그것을 찾았다면 결코, 늦은 때란 없는 것 같습니다. 저를 응원하듯, 도전하는 분들의 모든 삶을 응원합니다.

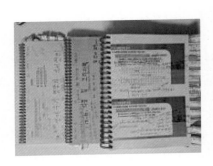

※ 박사과정을 준비하시려면 논문연구를 하시길 권장합니다.

'행복찾기'

가정복지상담학전공 김수연(19기)

먼저 제 소개를 하려고 합니다.

53세의 아줌마입니다. 20대 초반에 40대의 사람을 보며 '정말 나이가 많구나.'라고 느꼈던 기억이 어제 같은데 제 나이가 50대에 접어들어 중반을 바라보고 있습니다. 아마 다른 사람의 눈에도 저를 바라볼 때 '나이 많은 사람'으로 볼 것입니다. 그런데 웃긴 건 저 스스로 나이를 느낄 겨를이 없이 감사한 마음으로 하루하루를 보내고 있습니다. 지금의 제 모습이 만들어진 과정을 말하려 합니다.

저는 24살에 결혼하여 아이를 낳고 가정주부로 '평범'하게 살았습니다. 아이들이 학교에 입학하며 저의 여유시간이 생기며 '대학 졸업장'이라는 목마름이 가슴을 콕 콕 찌르기 시작하였습니다. 그래서 40대 초반에 국립 한국방송통신대학교에 입학 서류를 내었다가 '이 나이에 무슨'이라는 생각에 포기하였고 40대 중반에 '지금 안 하면 평생 후회할 것'이라며 국립 한국방송통신대학교에 입학하게 되었습니다.

국립 한국방송통신대학교의 과정은 인터넷 수업만 하는 게 아니었습니다. 어떤 과목은 출석 수업도 하며 많은 양을 외워서 쓰는 서술식 시험도 있었습니다. 그런데 놀라운 건 그 시험을 통과하였고 그런 과정을 통해 '나도 할 수 있네'라는 자신감이 생긴 것이었습니다. 작은 모임에 참석하며 사회복지사 자격증에 대해 알게 되었고 졸업과 함께 자격증도 소지하게 되었습니다. 그러면서 돌봄 교사라는 직업도 가지게 되었습니다.

'대학 졸업장과 직업도 가지게 되었으니 그 현실에 만족하며 잘 살았습니다.'라고 주위에서는 저를 칭찬하며 '만족하라.'고 하였습니다. 그러나 저는 대학 졸업과 함께 '할 수 있다는 자신감'으로 당당하게 국립 한국방송통신대학교 생활과학대학원도 입학하였습니다. 어떤 사람은 저에게 '왜 국립 한국방송통신대학교만 고집하느냐?'고 물어보는 분도 있었습니다. 그래서 저 스스로 다른 대학원을 가볼까 고민도 해보았습니다. 그러나 방송통신대학원의 학비도 저렴하지만 제 나이와 비슷한 또래가 많아 결정하게 되었습니다.

제가 입학하고 경험한 국립 한국방송통신대학교는 모두 '신입'이라면 국립 한국방송통신대학교 대학원은 '전문가와 경력자'로 이루어져 있었습니다. 국립 한국방송통신대학교의 대학원 입학 면접시험을 볼 때 '나는 떨어졌구나'라고 걱정도 하였습니다. 그러나 다행히 입학하게 되어 대학 때보다 더 열심히 해보자는 열정으로 시작하게 되었습니다.

직장인인 저에게 대학원의 공부는 쉽지는 않았습니다. 그러나 퇴근 후나 주말에 틈틈이 공부나 과제를 하였습니다. 가정복지 전공자인 저는 대학원에서 깊은 상담 공부를 하고 싶었기에 재미있게 하였습니다. 특히 '가족학특론'은 우리 사회 속 가족의 변화를 알게 되며 미래 가족의 변화를 추측하는 과정이 흥미로웠고 '한글문화론'은 나 스스로 한글에 대한 지식의 부족을 반성하게 되며 한글에 대한 다양한 접근 적 지식을 알게 되는 과정으로 배움의 또 다른 신선함을 느끼기도 하였습니다. 그 외에 '식문화와 푸드 서비스 산업', '시 창작 연습' 등 다양한 과목을 수강하며 이런 게 '진정한 공부'라는 즐거움을 알게 되었던 과목이었습니다.

대학원에서 즐거움만 주는 공부만 있지는 않았습니다. 그것은 대학원 졸업을 위해 통과해야 할 시험이라는 어려운 언덕이 두 개가 버티고 어깨를 눌러 학기 내내 고민하게 하였습니다.

결론부터 말한다면 원우회의 도움으로 통과하게 되었습니다. 그래서 '쉽게 통과하였냐?'는 질문에는 '아니요'입니다.

먼저 영어시험을 통과하여야 했는데 저는 전혀 공부하지 않고 '경험'이라는 목적으로 시험을 보았습니다. 전혀 공부하지 않고 하였기에 전혀 쓸 내용이 없었고 '몇 자' 적은 답안지를 저는 창피한 마음에 제출하지 않고 몰래 가방 속에 숨겨서 나왔다가 다시 제출하게 되는 경험도 하였습니다.

그 후 영어시험은 통과하였고 그 다음의 과정은 '종합시험'으로 양이 많아 힘들었습니다. 그런데 원우회 서재호 회장님의 도움으로 '연습장에 써서 외우기'를 매주 줌 수업으로 숙제 검사를 하며 서로를 격려했습니다. 연습장에 펜으로 계속 썼지만 기억하려 해도 머릿속에는 빈 노트만 가득하고 손목과 어깨 통증이 시작되어 이런 게 '늙어서 공부하는 결과?'인가 자책하며 하루하루를 버티다 보니 연습장은 가득 채워지고 어느 정도 기억에 남은 상태로 시험을 보게 되었습니다.

시험을 보고 나서 '아, 더 열심히 할걸'이라는 아쉬움만 가득하였고 서로 '나만 떨어지면 어떡하지? 그래 떨어지면 대학원 수료만 하면 되지.'의 중얼거림만 가득하였습니다.

시험 발표 날 '통과'는 세상을 다 주는 두 글자였습니다. 원우회의 도움으로 많이 통과하여 서로를 축하하였고 그 후 대학원 학위기도 받게 되었습니다.

그리고 저는 졸업 한 달 전에 사회복지사로의 첫걸음도 시작하게 되었습니다.

50대 나이에 신입 사회복지사는 생각처럼 쉽지 않습니다. 50대에 신입 사회복지사로 취직도 힘든데 대학원 졸업이 도움이 된 것이라 저는 생각하고 있습니다.

많은 사람이 논문이나 '종합시험'과 영어시험에 두려움을 느껴 대학원 진학을 포기한다고 합니다. 포기하고 싶으신가요? 저는 도전하시라고 말하고 싶습니다. 저희처럼 '공부모임'를 만들면 가능하다고 확신하기 때문입니다.

혹시 아무도 '공부 모임'를 안 만들어요.라고 말한다면 스스로 직접 하자고 말하세요. 공부 모임에 나서는 게 힘드신가요? 그럼 모임에 동참으로 시작하여 자주 의견을 나누고 만나세요. 공부하기 위해 모인 대학원에 시험을 통과하고 싶은 마음은 모두의 마음일 것입니다. 그런 마음을 공유하며 서로를 도와주시기를 바랍니다. 혼자만의 공부는 어렵고 외롭습니다.

저희 19기는 전문적 관광 가이드 자격증이 있으신 김삼곤 부회장님이 계십니다. 19기 서재호 회장님과 김삼곤 부회장님의 도움으로 문화 세미나를 하며 '친목 다지기'를 하였습니다. 김삼곤 부회장님은 문화 세미나를 하기 위해 미리 몇 번의 견학을 통해 시간과 동선을 짜며 계획을 하십니다.

그런 과정을 통해 많은 장소를 문화 세미나를 통해 알게 되었습니다. 문화 세미나를 통해 많은 역사적 정보와 지식을 쉬지 않고 알려주시지만 아쉽게도 금방 머릿속에서 지워집니다. 알찬 역사적 정보가 사라진다고 해도 '문화 세미나'는 우리나라의 역사와 다양한 정보를 알아가는 여행으로 그 자체만으로도 '한국 여행'이며 서로를 만나는 자체로도 '힐링'이 되는 시간이었습니다.

강화, 인천 차이나타운, 선유도, 명종대왕 태실, 영종도, 서촌, 경복궁, 청계천 등 많은 곳을 다니며 곳곳에 역사의 기록이 남아있음에 감사하며 시간의 흐름을 느껴보았습니다. 특히 '명종대왕 태실'과 '선유도'는 기억에 남으며 다시 방문하고 싶은 곳입니다. '문화 세미나'는 졸업 후에도 유지되고 있습니다. "대학원 졸업했는데 왜 문화 세미나를?"이라고 물어볼 수 있지만 19기의 결속력과 친목은 이 문화 세미나이기에 절대로 놓치고 싶지 않은 모임입니다.

한번 초대해 드릴 테니 오셔보실래요?

대학원 다니기 전과 다닌 후의 나의 변화를 천천히 생각해 보면 '생각의 변화'와 '멋진 인연'이라고 생각합니다. 저는 한편으로 국립 한국방송통신대학교를 늦게 입학한 사실은 아쉽습니다. 그러나 늦게 입학하여 대학원 19기를 만났으니 아쉬움을 접으려 합니다. 이런 멋진 분들을 국립 한국방송통신대학교 생활과학대학원이 아니면 언제 만날 수 있었겠습니까?

그리고 저는 대학원 졸업을 통해 '생각의 전환점'이 되었습니다. 졸업장으로 특별한 직업을 가지게 되지는 않겠지만 어떤 기회라도 생긴다면 문을 두드려 볼 것이고 환갑이 넘는다고 하더라도 스쳐 가는 기회에 도전을 해보려고 합니다.

이전에는 친구들과 커피와 음식을 먹으며 하루의 많은 시간을 보내는 경우가 많았습니다. 이제는 그런 시간이 아깝고 시간 낭비라 생각됩니다. 대학원을 통해 무엇이든 도전하는 용기가 생겼습니다. 나이가 드는 것이 두렵기도 하지만 내일이 기대되기도 합니다. 어떤 도전이 저를 기다리고 있을까요?

인생의 반환점을 지나고 계실 중·장년층, 꿈과 희망이 가득한 청년들에게 조언해 주고 싶은 것은 '쓸모 없는 경험과 공부는 없다. 하고 싶은 것을 해보고 많이 봉사해라. 현재가 어려워도 참고 걷다 보면 정상 근처라도 가게 될 것이다. 나를 위한 공부를 꾸준히 해라' 그리고 중장년층에게 '별거 없는 인생 나 스스로 노력해서 무언가 만들고 싶다면 대학원 진학에 도전해 보아라. 생각보다 즐거운 공부가 당신의 생각과 인생을 바꾸어 주며 길을 알려줄 것이다'라고 전하고 싶습니다.

제 글을 보시는 분들이 어떤 환경과 나이인지 모르겠지만 100세 시대에 나를 위한 인생을 스스로 만들며 나아가시기를 바랍니다. 저는 항상 남을 보며 부러워하며 질투하였습니다. 그러나 이제는 남이 아닌 나를 바라보며 앞으로 나아가고 있습니다. 이 길이 저에게 행복을 줄지 고민을 선물할지는 모르겠지만 앞으로 가려고 합니다.

행복을 찾으시길 바랍니다. 저도 찾으려고 합니다. 제 안에서요.

마지막으로 서재호 회장님, 김삼곤 부회장님, 심석영 원우님, 이영미 원우님, 송선영 원우님, 김금숙 원우님, 임영진 원우님 등 한 분 한 분의 얼굴이 기억나네요.

모든 19기 원우님 감사합니다.
50대의 나이에 좋은 친구를 만나게 되어 행복합니다.

모두 건강해서 100세까지 '문화 세미나'에서 계속 만나길 희망해 봅니다.

'새로운 길을 달리며'

식품영양학전공 이영미(19기)

'시간을 허비하는 것만큼 현명하지 못한 것은 없다'는 저만의 신조로 늘 계획을 세우고 실천하는 것을 좋아합니다. 항상 새로운 것에 도전하며 새로움 속에 계획을 세우고 목표를 체계적으로 추구해 나갈 때 강력한 에너지가 솟는 것을 느낍니다.

저는 평범한 두 아이의 엄마로 40세에 운동을 처음 시작하여 몸을 만들었고 그 과정에서 혹독한 식이 관리의 고통을 이겨내고 7전 8기 정신으로 전국 보디빌딩 대회에 도전해서 입상하였습니다. 전업주부에서 운동 강사라는 직업으로 새로 거듭나는 삶을 살 수 있는 계기가 되었습니다. 뒤늦게 시작한 운동에서 저는 삶의 목표를 다시 찾을 수 있었고 운동과 식이 관리의 중요성을 절실히 느끼게 되었으며. 지역스포츠센터에서 운동 강사로 일을 병행하면서 공부에 대한 열망으로 체육학 학사학위에 이어 식품영양학 석사 과정 중이며 여러 관련 자격증 등을 취득해 나가며 꾸준히 역량을 키우고 있습니다.

운동으로 삶을 전환하게 되었고 계속 배움의 갈망이 있던 저는 몸의 변화를 몸소 체험했었기에 평소 영양학 공부에 관심이 많았고 좀 더 깊이 공부를 하고자 방송대 생활과학대학원 식품영양학과에 지원하게 되었습니다. 직장생활과 병행해야 하는 관계로 온라인 공부가 저에게는 더 적합하다고 생각하여 선택하였습니다.

운동보다 식이 관리가 정말 중요하다는 것을 제가 다시 몸을 만들고 체지방을 줄이는 과정을 해보면서 앞으로 식품영양학 공부는 현대 사회에 정말 필요한 공부가 아닌가 싶을 정도로 중요하다고 생각합니다. 식이 관리가 정말 중요시되고 있는 현대사회에 무엇을 섭취하느냐가 건강관리에 있어 정말 절대적이라고 할 수 있습니다. 지속적으로 연구하고 공부한다면 정말 가치 있는 학문이라고 생각합니다. 저만의 대학원 시험공부 방법은 전체적인 내용을 요약하고 그 요약본을 제 목소리로 녹음해서 집안일하거나 출퇴근 운전하면서 일상생활 속에서 반복 또 반복해서 들었던 것이 공부할 시간이 부족했던 저에게 정말 많은 도움이 되었습니다.

19기 원우회장 서재호 회장님의 조언대로 공부한 내용을 노트에 적으면서 이해하고 암기하였으며, A4 용지에 실제로 시험 보는 것처럼 문제를 쓰고 답을 다는 연습을 많이 했던 것이 실제 시험장에서 정말 많은 도움이 되었습니다. 첫 번째 종합시험이었던 조리 과학은 어려운 시험이었고 생각보다 어려웠고 예상하지 못한 문제에 당황하던 그때 서재호 회장님이 시험지에 작성하며 채우라고 했던 말이 귓가에 맴돌면서 공부하고 암기했던 것을 서로 연결 지어서 작성하다 보니 시험지가 다음 장으로 넘어갈 정도로 그간 펜으로 열심히 쓰던 필력을 발휘해서 시험지를 채우고 채웠던 것이 시험 합격의 당락을 결정했던 신의 한 수였다고 생각합니다. 그리고 영양학은 식품영양학과 과목 중 범위도 전체 범위여서 더욱 어렵고 힘들었던 과목이어서 턱

걸이라도 합격해 달라고 마음속으로 바랬는데 졸업시험 합격에 좋은 점수까지 받을 수 있어서 정말 기쁘고 시험 준비하는 동안 잠을 줄이며 새벽 집중 공부로 끌어낸 그간의 저의 노력을 한방에 보상받는 그런 느낌이었습니다. 대학원 동기들과 함께 서로의 마음을 다독이며 시험 합격에 대한 열망이 있었기에 가능했던 거 같습니다.

영어시험과 종합시험 두 과목 모두 합격이라는 쾌거를 이루었을 때의 기분은 공중 부양하는 듯 짜릿하고도 행복한 순간이었습니다. 이때 느낀 것은 간절히 원하고 그 원하는 것을 체계적으로 공부하고 노력하면 원하는 결과를 끌어낼 수 있겠다는 라는 자신감을 느끼게 되었습니다.

대학원 영어시험과 두 번의 졸업시험은 정말 서재호 회장님이 열정과 노력이 합쳐져 이루어낸 결과라고 말하고 싶습니다. 최선을 다해 이끌어 주었기 때문에 저 또한 열심히 할 수 있었고 좋은 결과로 이어질 수 있었습니다.

서재호 회장님은 저희 19기에 있어 핵심이라고 할 정도로 대학원 생활에 있어 절대적이었습니다. 이 지면을 통해 진심으로 감사하다고 말씀드리고 싶습니다.

문화 세미나 저희 19기 원우회를 더욱 풍성하게 해주고 참석한 원우들에게 선물 제공까지 해주시며 큰 기쁨을 안겨주신 김삼곤 부회장님. 북 작가 수업을 줌과 오프라인 모임으로 이끌며 우리만의 책을 출판하자는 결의를 할 수 있었고 우리 안에 있던 무엇을 원하고 나름의 재능을 이끌어 준 강력한 리더십의 소유자 심석영 원우님. 묵묵히 뒤에서 조력해 주시고 보이지 않는 곳에서 힘을 선사해 주시고 이번 북 작가 수업을 통해서 그림에 상당한 소질을 발견하시고 그림책 매력에 빠져 계신 김수연 대학원 원우님. 19기의 최고 미녀이며 재치 있는 발언으로 우리를 항상 즐거운 분위기로 이끌어 주는 송선영 원우님. 학업에 대한 열정이 뛰어나신 김금숙 원우님 덕분에 서로 질문하고 피드백하며 공부에 대한 완성도를 높일 수 있었습니다.

저희 19기 원우들과 교류는 대학원 생활에 있어 생명수였으며, 진한 원우애가 느껴지는 서로에게 큰 힘이 되어주는 존재들이었습니다. 대학원 생활에 있어 핵심은 이런 서로에게 좋은 에너지를 주는 19기 원우들과의 교류였습니다. 분기별 선배님들도 함께하는 문화 세미나와 서산과 군산 문화답사 1박 2일 여행, 대학로 연극관람. 대전 1박 모임. 인천 차이나타운 문화답사 등에 참석하며 정말 즐겁고 의미 있는 시간이었습니다.

저는 6대 마라톤 중 마지막 런던 마라톤을 앞두고 발목부상으로 출전이 불투명한 상황에서 저를 진료했던 의사 선생님과 주변 사람들의 나중으로 미루라는 조언을 뒤로하고 나의 한계는 내가 정한다는 생각으로 출전을 결정하며 약 두 달이 넘는 기간 동안 다이어리에 일과를 적으며 혹독한 체지방 감량과 재활 훈련 등으로 부상을 이겨내고 저는 런던 마라톤을 완주하고 더불어 세계 6대 마라톤이라는 제 인생 목표를 성취한 이 내용으로 저는 상상 스터디언 출판사 주체로 성균관대 새천년 홀 무대에 서서 발표하였습니다. 500여 명 관중 앞에서 말하는 것이 쉽지는 않았고 발표를 준비하는 과정이 힘들었지만, 저의 사례를 듣고 다른 누군가에게 작은 울림을 줄 수 있어서 나름 제 인생에 있어 의미 있는 발표였습니다. 그리고 저는 그동안 미루고 미루던 체지방 감량 다이어트와 보디 프로필 사진을 실행으로 옮기고 또 올해 중요 일정을 마칠 수 있는 어떤 원동력이 되어주었습니다.

'간절하게 원하면 이루어진다'를 경험을 실제로 하였습니다. 인생에 있어 엄청난 장벽의 산을 하나 넘어온 그런 느낌이었고 앞으로 나아갈 수 있는 것이 머물러 있지 않고 전진하는 힘을 키울 수 있었던 졸업시험과 영어시험 등 대학원 생활이었습니다. 대학원 원우들과 교류는 학습의 어려움과 애로사항을 이야기하며 잘 모르는 부분은 서로 질문도 하고 예상 문제도 만들고 공유하면서 많은 힘이 되었고 시험 도움이 되었습니다. 앞으로 저는 또 다른 꿈을 꾸며 그 꿈을 향해 나아가려 노력하고 있습니다.

저는 독서와 글쓰기를 통해 통찰력 있는 깊이 있는 삶을 살고 싶고, 앞으로 더 나아가 책을 쓰는 작가가 되고 싶다는 목표가 있습니다. 새로운 공부에 끊임없이 도전하고 체력 관리도 꾸준히 해서 6대륙 마라톤에도 도전하고 건강한 달리기도 계속 지속해 나갈 것이고 내 나이 70세에 다시 보스턴 마라톤을 완주하는 것이 제 인생 목표입니다.

그리고 저는 저만의 건강센터와 건강 버스를 운영하며 저의 역량을 키우고 또 사회에 필요한 사람들에게 나눔을 하며 의미 있는 보람된 삶을 살아가고 싶습니다.

대학원 공부를 하면서 실패에 대한 두려움 보다는 그 실패를 통해 성장해 나간다는 것을 알게 되었으며 주저하고 망설이던 것들을 다시 도전하게 되는 계기가 되어 새로운 도전을 계속하게 되었습니다. 인생의 목표였던 보스턴 마라톤 완주와 함께 세계 6대 마라톤 완주까지 대학원 생활하면서 이룰 수 있고 대학원 석사과정까지 잘 마칠 수 있어 저는 무척이나 기쁘고 의미 있다고 생각합니다.

대학원 공부를 하면서 직장생활과 병행하면서 겪는 어려움, 시험에 대한 압박감과 과제물에 부담감 등도 있었지만 하나씩 해결하면서 작은 성취감을 느낄 수 있었습니다.
이러한 과정을 하나씩 이겨내고 극복하면서 어느새 성큼 발전하고 성장한 자신을 발견하게 되었고 내면적으로 더욱 강인해진 저를 만날 수 있었습니다. 이번 대학원 공부가 제 인생의 전환점이 되어, 또 다른 꿈을 꿀 수 있는 계기가 되어서 저도 무척 기쁘고 행복합니다.
이 과정을 통해 앞으로 살아가면서 닥칠 역경과 시련 앞에 좀 더 유연하게 대처할 수 있고 그 인내의 시간이 발판이 되어 더욱 멀리 나아가게 해 줄 것이라고 저는 강력하게 믿고 확신합니다.
인생 전환점에 있어 중요한 것은 내가 살아온 삶을 돌아보고 새로운 것에 도전하라고 말해주고 싶어요. 특히 배움에 도전해 보면 좋은 것 같습니다. 저도 배움을 통해 어려운 시기를 극복하고 성장하는 과정을 거치면서 절실히 느낀 것은 정말 인생에 있어 남는 것은 그 누구도 아닌 내가

공부한 학위와 자격증 그리고 책에서 얻은 깨달음이라고
생각합니다.

 혹시 대학원 입학을 망설이고 뒤로 미루고 있다면 내가
좋아하는 명언을 소개하고 싶습니다.
'배움은 절대 나를 배신하지 않는다.' 입니다.

 제가 직접 체험하고 느낀 강력한 명언입니다.
올해는 너무 늦어서 내년을 기약하고 있거나 언젠가는 해
야지 하고 미루고 있다면 지금 용기 내어 대학원 공부에
도전해 보라고 말해주고 싶습니다. 그것이 여러분의 새로
운 출발이 될 수 있을 거라 저는 강력하게 믿습니다.

 그러니 도전하세요. 지금 계신 곳에서...

'하늘에 구명을 낼수 있는 느낌'

가정복지상담학전공 송선영(19기)

저는 2014년 봄에 생활과학과(가정학과)를 졸업하며 건강
가정사, 2급 가정복지사, 보육교사 자격증을 취득했습니다.
2015년부터 2022년 12월 31일까지 어린이집 교사로서 보
람 있는 시간을 보냈으며, 아이들은 저를 애정 어린 마음
으로 "예쁜 선생님"이라고 불러주었습니다. 저 또한 아이들
을 진심으로 대하며 사랑으로 같이 생활을 하였습니다.

국립 한국방송통신대학교 대학원 진학을 결심하게 된 계
기는 석사 학위를 취득하고 싶었고, 더 깊이 있는 학문적
연구를 하고 싶었기 때문입니다. 특히 국립 한국방송통신
대학교 대학원을 선택한 이유는 제 역량에 맞게 자유롭게
공부할 수 있고, 다양한 사람들과 교류할 수 있다고 생각
했기 때문입니다.

현재 저는 새로운 직장을 찾고 있습니다. 그동안 배워온
것을 바탕으로 주변 사람들에게 도움이 되고 싶고, 그 과
정에서 경제적으로도 조금 더 여유를 가질 수 있기를 바랍
니다. 제가 행복한 만큼, 제 주변 사람들도 행복해지기를
희망합니다.

저는 국립 한국방송통신대학교 생활과학대학원에서 가정
복지상담학을 전공했지만, 타과에서 두 과목을 수강할 수
있는 기회가 있어 농업생명과학과의 '최신 자원식물 연구'

수업을 들을 때 정말 신이 났습니다. 이후에는 시골로 내려가 그곳에서 살아보려는 마음으로 공부를 하게 되었는데, 제가 알고 있던 것보다 훨씬 더 자세하고 흥미롭고 새로운 정보들을 접할 수 있었습니다.

또한 오프라인 교육에서는 저희 과와는 달리, 대학원의 실험실을 직접 둘러보고 교수님과 함께 식사를 하며 담소를 나누는 모습에 교수님과의 친밀감을 많이 느낄 수 있었습니다. 그런데 가끔 대학원에서 과제를 할 때, 교수님께서 A라고 하신 질문에 대해 제가 B라고 답할까 봐 불안하고 걱정될 때도 있었습니다.

저는 약 1년 동안 일하면서 공부했는데, 국립 한국방송통신대학교 대학원의 가장 큰 장점 중 하나는 자유롭게 강의를 들을 수 있다는 점이었습니다. 또한 튜터들과 공지사항을 통해 과제에 대한 많은 도움을 받을 수 있었습니다. 국립 한국방송통신대학교 대학원에서 졸업시험을 치르기 위해 학점을 이수하면, 시험 결과가 나오자마자 영어시험 자료와 종합시험 자료를 찾아보고, 뜻이 맞는 사람들과 소통하며 서로 응원하면서 차근차근 준비할 수 있었습니다. 물론 다른 시험들도 열심히 준비했지만, 영어시험과 종합시험은 더욱 공을 들여 많은 시간과 노력을 기울였습니다.

국립 한국방송통신대학교 생활과학대학원과 19기에는 회장님과 부회장님을 비롯한 멋진 원우들이 있었습니다. 졸업과 석사 학위라는 같은 목표를 가진 임원진과 무엇보다 원우들이 서로 응원하고 포용하며 격려하는 아름다운 장면들이 연출되었죠. 그중에서도 재능 기부를 잘하는 원우들이 있어, 문화 세미나 같은 다양한 행사에서 자신의 재능을 빛내는 이들이 있었습니다. 지식과 음악적 능력을 바탕으로 더욱 가까운 친구가 된 듯한 모습이 인상적이었습니다.

저 역시 그런 세미나에 참여하면서, 서산의 명종태실을 오를 때 하늘이 노랗게 변할 정도로 힘들었지만, 앞에서 끌어주고 뒤에서 밀어준 원우들의 도움에 눈물이 날 정도로 감사함을 느꼈습니다. 원우들과 함께 에너지를 나누고, 군산과 선유도에서 두려움 때문에 짚라인을 탈 수 없을 때도, 무심한 듯 따뜻하게 안아주며 함께 집라인을 타준 원우의 배려 덕분에 잊지 못할 좋은 추억과 에너지를 나눌 수 있었습니다. 그리하여 이런 좋은 추억들이 쌓이고 졸업이라는 결실로 이어진 것 같습니다.

종합시험을 앞두고 서산과 군산에서 열린 세미나에 참여하면서, 등산이 약한 저를 끝까지 기다려주고 도와준 원우들에게 다시금 감사한 마음을 전하고 싶습니다. 바다 위를 나는 듯한 짚라인의 경험은 두려움이 많았던 저에게도 날아오르는 기분을 선사해 주었죠. 그리고 문화 세미나에 참석했을 때, 걷는 속도가 느린 저를 배려해 끝까지 함께 걸어준 원우들의 따뜻한 마음에 깊이 감동했습니다. 이처럼 좋은 에너지를 계속 이어가고 싶습니다.

종합시험을 준비하는 방식은 각자의 성향에 따라 조금씩 다를 수 있다고 생각합니다. 하지만 자신의 학습 방법 속에서 조금 더 여유를 가질 수 있도록 원우들과 서로 소통하고 응원한다면, 더 큰 안정감을 느끼며 함께 좋은 결과를 얻을 수 있을 것 같아요. 이제 '그래, 나 졸업해!'라는 생각이 가득하고, 이제는 석사 학위를 가졌다는 사실이 정말로 자랑스럽게 생각합니다. 지금 이 순간에도 생각만 해도 제 어깨가 하늘을 떠받치는 듯한 벅찬 기분이 듭니다. 가슴이 두근거리고 설레는 마음이 멈추지 않네요. 가끔은 '나 석사야'라는 문구를 이마에 새기고 싶은 생각이 들 만큼, 그런 기분이 저를 자랑스럽게 만듭니다.

요즘은 어떤 상황에서도 모든 것을 받아들이고 해낼 수 있는 여유를 가진, 정말 마음이 넉넉한 사람이 된 것 같아요. 석사 학위를 얻었다는 사실도 자랑스럽지만, 무엇보다 더 자유로워진 내 모습이 참 소중하다고 느낍니다. 졸업 후 가장 크게 달라진 점은, 예전에는 그저 막연하게 '내 일이나 열심히 하자'는 생각을 했다면, 이제는 주변 사람들에게 좀 더 도움이 되고 싶다는 마음이 커졌다는 거예요. 대학원에서 선배님들과 원우들의 도움으로 석사 학위를 받는 영광을 얻게 되었고, 세미나를 통해 많은 도움을 받았다는 것을 다시 한 번 깨달았어요. 그러한 도움과 사랑, 관심, 그리고 이해를 이제는 제가 주변의 사람들에게 전하고 싶습니다. 제가 받은 사랑을 주변의 사람들에게 나누고 싶은 마음이 큽니다.

정신적으로도 타인의 감정을 공감하고 이해하는 능력이 많이 생겼고, 이제는 예전보다 더 많은 것을 배웠기에 누군가에게 더 도움이 되고 싶다는 생각이 듭니다. 그리고 가장 크게 변한 것은 가족의 소중함을 더욱 깊이 깨달았다는 것입니다. 예전에도 가족에게 고마움을 느꼈지만, 이제는 그 감사함을 더 구체적으로 표현할 수 있게 되었어요.

가족이 행복하니 주변 사람들도 행복해지고, 우리가 함께 행복하니 저 역시 다시 행복을 느낍니다.

물론 대학원을 졸업하고 석사 학위를 받은 것도 큰 의미가 있겠지만, 한국의 학벌 중심 사회에서 저는 공부하는 동안 느낀 행복, 배움이 내 삶을 더욱 풍요롭게 한다는 지혜, 그리고 그 배움이 가져다준 삶의 섬세함이 정말 놀랍다고 생각해요. 여전히 인생 속에서 웃음을 짓게 되는 순간들이 있어요. 그 웃음은 아마도 제가 졸업했기 때문일 수도 있겠지만, 무엇보다 국립 방송통신대학교 대학원에서 맺은 인간관계들이 제게 많은 도움을 주었기 때문이라고 생각해요.

시험을 봐서 성과를 얻었다기보다는, 함께였기 때문에, 원우들과 선배들의 도움 덕분에 좋은 결과와 더불어 좋은 관계들을 얻을 수 있었고, 그 관계들 덕분에 제 삶이 더 풍요로워졌으며, 스스로에 대해 더 많은 생각을 하게 된 것 같아요. 저의 발걸음에 맞춰 함께 걸어준 원우들, 인생의 에너지를 얻을 수 있도록 좋은 공연을 함께 보며 힘을 나눠준 원우들, 그리고 19기에서 함께 공부하며 많은 조언과 공감을 나눠준 인생 선배님들, 정말 모두에게 깊은 감사의 마음을 전하고 싶습니다.

그리고 이제 2024년 8월, 5학기로 졸업을 앞둔 저는 석사 학위를 얻었다는 생각에 어깨가 으쓱해져요. 하지만 진짜 중요한 것은 그 과정을 통해 내가 느꼈던 모든 순간들이 정말 소중했다는 사실입니다. 스스로를 많이 칭찬해 주고 싶어요. 정말 열심히 살고 있다는 것, 정말로 잘하고 있다는 것 말이에요. 조언을 하기보다는, 그저 노력하는 현재에

'행복하다'라고 말해주고 싶습니다.

 문득 '나이는 숫자, 마음이 진짜'라는 노래 가사가 떠오릅니다. 지나가는 시간을 붙잡을 수 없는 인간이지만, 조금씩 노력하며 살아가고 싶어요. 가끔은 나 자신을 만족하게 할 수 있는 시간과 공간을 마련해 주변 사람들과 서로 존중하며 살아갈 수 있는 전환점이 필요한 것 같다는 생각도 듭니다.

대학원 생활 Part Ⅰ

대학원 생활 이야기는 19기 **서재호 원우님이 회장**직을 수행하면서 겪었던 다양한 경험을 에세이 형식으로 기술한 내용입니다.

생활과학대학원 졸업 스냅사진 촬영 및 꽃다발 식

2022년 8월의 무더위 속에서 생활과학대학원 17기 선배님들의 졸업을 앞두고 19기 대학원 동기들이 본교에 일찍 모여 스냅사진 촬영을 도왔다. 전날 선배님들은 종합 시험과 영어 시험을 치렀고, 19기인 우리도 첫 대학원 영어 시험을 봤다.

선배님들과의 만남과 식사가 이제는 익숙해졌다. 4월부터 본교에서 시작된 만남은 6월에는 부산역에서 부산, 울산, 포항 동문과, 7월에는 대전 계룡스파텔에서 대전, 광주 동문과 이어졌고, 마치 오랫동안 알고 지낸 듯 친숙했다. 대화를 나누면 7시간이 짧게 느껴졌고, 11시간의 대화가 이어지곤 했다.

동대문에서 졸업사진 촬영을 마친 17기 선배님들께서 12시에 본교에 도착하셨고, 락앤락 카페에서 옷을 갈아입은 후, 18기와 19기 후배들이 준비한 꽃다발을 전달했다. 꽃다발은 19기 김삼곤 부회장님의 지인 덕분에 저렴하면서도 풍성하게 준비되었고, 여름철에도 생생한 상태를 유지했다. 선배님들의 밝은 모습을 보며 "나는 언제 졸업할 수 있을까?"라는 생각과 함께 어제 본 영어시험 성적이 걱정되기도 했다. 특히 식품 안전특론 영어시험은 준비가 부족해 영어 논문 해석을 급하게 짜깁기해 제출했고, 회사의 미국인 지사장님께 보여드렸더니 "너 의과대학 다니니?"라는 농담 섞인 반응을 들었다. 이런 고비를 넘기며 졸업하시는 선배님들이 부러웠다.

본교에서의 졸업사진 촬영은 무더운 날씨 속에서도 전문 사진사와 함께 진행되었고, 나도 스냅사진을 찍으며 선배님들과 친해졌다. 특히 마지막으로 창의관 뒤쪽에서 학사모를 날리는 장면은 인상 깊었다. 와이셔츠가 땀으로 흠뻑 젖을 정도로 열심히 사진을 찍었고, 선배님들께서는 식사와 연극을 함께 즐기며 자리를 마무리했다.

2023년 8월에 졸업하신 18기 선배님들은 17기와 달리 연회장(파티룸)을 빌리셨고, 음식과 음료는 코스트코에서 준비하셨다. 전문 사진사가 있어 촬영이 원활하게 진행되었고, 19기와 20기 후배들이 꽃다발을 준비했다. 17기 졸업 스냅사진 이후에도 9월 강화도 문화 세미나, 10월 학과장님과의 면담, 울산과 부산 동문과의 만남, 송년회, 신년회 등 선후배 간의 소통은 지속되었다.

2024년 8월, 드디어 19기 졸업사진을 찍는 날이 다가왔다. 스냅사진 준비 과정에서는 김삼곤 부회장님과 함께 비용 절감과 효과 극대화를 고민했다. 조교님께 꽃다발식 참여 여부를 문의하고, 만일의 경우 커피숍 회의실을 예약하는 등 대안(B플랜)을 마련했다. 19기는 총 20명이 졸업 스냅사진을 촬영했고, 종합 시험반과 영어 시험반을 운영하며 선배와 후배들의 시험 준비를 도왔다. 영어 시험과 종합 시험은 대부분이 어려워했지만, 함께 꾸준히 공부한 덕분에 많은 대학원 동기들과 후배들이 무난히 합격할 수 있었다.

드디어 19기 졸업 스냅사진 촬영 당일, 날씨는 화창했고 예상보다 많은 분들이 참석했다. 사진사는 늦게 도착했지만, 대안(B플랜)으로 미리 섭외된 친구인 사진사가 촬영을 맡아주었다. 무더운 날씨에도 석사복을 입고 2년 6개월간의 대학원 생활을 돌아보며 웃음과 이야기로 그동안 고생을 떠올렸다. 마지막으로 김선아 교수님과 김승민 교수님께서 축사를 해 주셨고, 정성스럽게 준비한 꽃다발을 드렸다.

대학원의 어려운 시간을 함께 견뎌준 원우님들 덕분에 우리는 이 순간을 기쁨으로 맞이할 수 있었다. 졸업이라는 종착점에 다다르기까지의 좌절과 고비들이 파노라마처럼 지나갔지만, 서로를 격려하며 우리는 마침내 웃음과 함께 그동안 고생을 날려버렸다. 17기, 18기 선배님들, 19기 원우님들, 교수님들, 조교님들, 그리고 튜터 선생님들 덕분에 오늘 우리가 이 자리에 있을 수 있었음을 다시 한 번 감사하게 느꼈다.

2024. 8. 18.
본교 본관 세미나실에서

대학원 생활 Part Ⅱ
서천 군산 문화세미나 (서재호 19기 원우회장)

들어가면서...

서천 군산 문화세미나는 2023년 8월 종합시험을 앞두고 6월 17일부터 18일까지 1박 2일 일정으로 서천과 군산 지역에서 진행된 문화탐방 프로그램이다. 김삼곤 부회장과 장소와 동선,그리고 숙소까지 많은 시간 회의를 통하여 준비하였다. 이 프로그램은 서천과 군산의 역사적, 문화적 명소를 방문하며 학우들 간의 교류와 학습을 목표로 한 활동이다.

1일 차는 백제 시대 유물인 서산마애삼존불상 방문을 시작으로, 명종대왕 태실과 간월도 간월암을 둘러보았다. 서산마애불은 부드럽고 인간적인 미소로 '백제의 미소'로 불리며, 독특한 삼존 형식의 불상이다. 명종대왕 태실에서는 조선시대 태실의 중요성과 선조들의 지혜를 느꼈으며, 간월도 간월암에서는 조용한 섬에서 깨달음에 대한 사색을 하였다.

2일 차는 군산 근대 문화유산 탐방으로 구 조선은행, 일본 제18은행, 초원사진관, 동국사 등과 같은 건물들을 둘러보았다. 이곳들은 일제강점기 군산의 역사적 상징물들로, 그곳에서 쌀 수탈이 이루어진 현장들이다. 또한, 임병찬 장군의 항일투쟁을 기리는 동상도 보며, 당시의 역사를 되새겼다.

이번 세미나는 17, 19기 원우들의 활발한 참여와 교감을 통해 학문적 교류뿐 만 아니라 깊은 문화적 이해로 서로를 더 한층 알아가고 나누는 귀중한 기회가 되었다.

 2023년 4월 30일, 가평에서 있었던 17~20기 연합 MT에서 한 선배님께서 배고프다는 푸념과 함께 회비를 돌려달라는 이야기를 20기에게 했다는 말을 들었다. 20기 원우들이 준비한 연합 MT로 비바람이 몰아치는 가운데, 바비큐 그릴도 부족해서 고기를 굽느라 바빴던 나에게 준비로 분주하던 20기 후배 원우들과, 그저 앉아있기만 하고 서로 대화하던 선배들과 동기들을 보며, 모임에 대한 아쉬움을 느꼈다.
 함께 만나면 마음은 따뜻했지만, 현실적으로 느껴진 간극을 생각했다. 이후 나는 전체 카톡방에 연합 MT에 준비에 대한 사과의 글을 올리고 방을 나왔고, 뜻이 맞는 분들과 함께 별도로 '연구놀이방'을 만들었다.

 8월에 있을 종합시험을 앞두고 잘 할 수 있을까? 걱정과 두려움이 있었다. 명당에서 좋은 기운을 받기 위해 김삼곤 부회장과 함께 서천 문화 세미나 코스를 협의했다. 아내에게 서천 연수원을 예약해 달라고 부탁했다. 1일 차 코스는 백제의 미소를 간직한 서산마애삼존불상, 명종대왕 태실, 그리고 간월도 간월암에서 점심을 먹고 서천 연수원에서 바비큐로 저녁을 먹고 1박을 하는 일정이었다. 2일 차는 군산으로 가서 '8월의 크리스마스'에 나왔던 초원사진관, 히로시 가옥, 동국사를 방문하고, 지리성에서 고추짜장을 점심으로 먹고 선유도에서 집라인을 타는 일정이었다.

2023년 6월 16일, 간월암 답사의 일환으로 안양시 동안 구 15개 중학교 학교위원장들로 구성된 '학교사랑연구회'에 서 간월도 간월암을 방문한다고 하였다. 22기 학교사랑연 구회 회장 자격으로 월차를 내고 참석하였다. 간월암은 충 청남도 서산시 부석면 간월도리에 위치한 암자로, 조선 초 무학대사가 창건했다. 간조 시에는 간월도와 육지가 연결 되고 만조 시에는 섬이 되는 독특한 지형에 자리하고 있 다. 무학대사가 이곳에서 수행하며 어리굴젓을 태조에게 진상했다고 한다.

고속버스를 타고 이동하는 동안 회사 이사님으로부터 업 무 체크전화가 왔다. 하루 월차였고 내일 처리해도 되는 일이었지만 굳이 전화를 하신 이유가 궁금했다. 도착 후 각자의 자기소개가 끝난 뒤, 어느덧 간월도 간월암 주차장 에 도착했다. 사진 찍기를 좋아하는 선배님들의 요청에 연 신 사진을 찍어드렸다. 점심은 조금 떨어진 횟집에서 먹었 고, 그 사이 나는 회사 발주 업무로 노트북을 켜서 우유와 요구르트 등의 로컬 야채 발주를 처리했다. 함께한 분들 중 생일을 맞으신 분들께 생일 케이크를 준비해 온 동료들 께서 정을 나누시는 사진을 찍어 드리고, 오늘의 동선을 생각하고 기록했다.

2023년 6월 17일, 김삼곤 부회장과 나는 '연구놀이방'에서 범계역팀과 부천팀으로 나누어 선배님들과 동기들을 모시 고 서산으로 출발했다. 따뜻한 6월 햇살 아래 벼는 녹색으 로 물들어 파릇파릇했다.

서산 용현리 마애여래삼존상 앞 휴게소는 어죽을 먹는 사람들과 관광객들로 붐볐다. 우리는 다른 원우님들을 기다렸다. 김금숙 원우님은 개인 일정이 있어 본인 차로 오셨고, 서산이 고향이라고 하셨다. 차가 막혔던지 곧 부천팀도 도착했다.

마애여래삼존상으로 가는 길은 경사가 약간 있었지만, 층계가 잘 설치되어 있었다. 김삼곤 부회장은 베트남 모자를 쓴 모습이 마치 베트남 현지 가이드 같았고, 관광학과에서 배운 지식과 왕릉에 대한 설명을 시작했다.

1959년 4월, 부여박물관장을 지낸 홍사준 선생님은 보원사터 유물 조사를 하러 가는 길에 한 나무꾼에게 흥미로운 이야기를 들었다. "부처님이나 탑 같은 건 못 봤지만, 저 인바위에 가면 환하게 웃는 산신령님이 한 분 새겨져 있어요. 양옆에는 본마누라와 작은마누라도 있는데, 작은마누라는 의자에 다리를 꼬고 앉아 손가락으로 볼을 찌르며 슬슬 웃고, 본마누라는 돌을 집어던질 기세로 있죠."

홍사준 선생님은 이 이야기를 국보고적보존위원회(현 문화재위원회)에 보고했고, 5월 26일에 당시 국립박물관장이었던 김재원 박사와 황수영 교수에게 현장 조사를 의뢰했다. 그 결과, 이 마애불은 백제시대의 뛰어난 불상으로 세상에 드러나게 되었다. 이 불상은 서산마애불 또는 서산마애삼존불로 불리며, 국보 제84호로 지정되었다.
이곳은 7세기경 중국과 교류하던 태안반도와 백제 수도인

부여로 가는 길목에 위치하고 있다. 조각은 부드럽고 자연스러우며, 중앙의 본존불을 중심으로 오른쪽에 보주를 든 보살입상, 왼쪽에는 반가사유상이 협시하는 삼존 형식을 취하고 있다. 본존불은 시무외(두려워하지 말라) 여원인(원하는 것을 주겠다)을 하고 있으며, 소발(민머리)에 네모난 얼굴, 크게 뜬 눈과 환한 미소로 '백제의 미소'로 불린다.

당당한 체구에 통견으로 법의를 입고 있으며, 보주를 든 보살입상은 머리에 일월식이 있는 높은 보관을 쓰고 천의가 양팔에 걸쳐 U자형으로 길게 늘어져 있다. 반가사유상 역시 높은 보관을 썼으며, 상체는 벗었고 허리 아래만 군의(치마)를 두르고 있다. 세 불상 모두 보주형의 두광과 단판연화좌에 앉아 있다.

엄격한 도상 체계에 따르면 석가여래는 문수와 보현보살, 아미타여래는 관음과 세지보살, 약사여래는 일광과 월광보살이 배치되는 것이 일반적이다. 그러나 서산마애불은 중국, 일본, 고구려, 신라에서 볼 수 없는 독특한 구성을 가지고 있다.

한국 고미술의 미학에서 김원용 선생님은 "백제 불상의 얼굴은 매우 현실적이고, 실재하는 사람을 모델로 한 듯한 느낌을 준다. 그 미소 또한 현세적이다. 그중에서도 가장 백제적인 얼굴을 가진 불상은 1959년에 발견된 서산마애불이다. 이 삼존불은 그 어떤 불상보다도 인간미 넘치는 미소를 지니고 있다. 본존불의 둥글고 넓은 얼굴은 마치 마음 좋은 친구가 옛 친구를 보고 기뻐하는 것 같고, 오른쪽 보살상의 미소 역시 인간적이다. 나는 이러한 미소를 '백제의 미소'라고 부르고 싶다"라고 평가했다. (출처 : 나의 문

화유산답사기6. 유홍준. 발췌 및 요약)

우리 19기 원우회는 특별했다. 대학원에 입학한 이후 매월 두 차례의 줌 미팅, 활발한 스터디 활동, 선배님들과의 문화세미나를 통한 교감 형성, 그리고 영어시험반을 통해 높은 합격률을 기록하는 등 다른 기수에서는 볼 수 없었던 다양한 활동과 학습을 이어왔다. 이러한 우리에게 서산마애불은 백제의 잔잔한 미소와 함께 평안함을 선사해 주었다.

산을 내려와 우리는 운산면 태봉리에 위치한 보물 제1976호 명종대왕 태실 및 비로 향했다. 조선 제13대 왕인 명종은 1545년부터 1567년까지 재위하였으며, 태봉산에는 그의 태실과 기념비가 세워졌다. 명종은 중종의 둘째 아들로 인종의 동생이다.

인종이 재위 8개월 만에 서거하자, 명종이 12세에 즉위하게 되었고, 나이가 어렸기 때문에 그의 어머니 문정왕후가 대리청정을 하였다. 남쪽 태실비는 중종 33년(1538)에 세워졌고, 명종이 즉위한 후 태가 국운과 관련이 깊어 명종 원년(1546)에 북쪽 태실비가 세워졌다.

중앙비는 이전의 비석이 손상되어 숙종 37년(1711)에 다시 세워졌다. 조선 시대에는 태실을 관리하는 일이 관할구역 관리의 책임이었으며, 태실을 훼손하거나 주변에서 벌목, 채석, 개간 등을 할 경우 엄중히 처벌되었다. 명종대왕 태실은 대체로 잘 관리되어 왔으나, 선조 시기에 태실 난간이 훼손된 사건이 있었다. 현재의 태실은 일제강점기 이

후 관리되지 않다가 1975년에 복원되었다. (출처 : 다음백
과사전. 인터넷)

태실로 올라가는 길은 마치 스키장 슬로프처럼 매우 경사
가 심했으며, 날씨는 화창하고 더웠다. 짙은 녹음이 우거진
등산로는 울창했고 한숨 돌릴 수 있었다. 명종대왕 태실에
도착하자, 탁 트인 정상에서 남쪽, 북쪽, 중앙에 위치한 태
실비들이 웅장하게 자리하고 있었다.
500년 동안 이곳에서 서산을 굽어보며 백성과 나라를 지
켜본 명종대왕의 태실은, 태아의 생명력을 소중히 보관한
선조들의 문화적 지혜와 가치를 새삼 느끼게 해 주었다.
명당이란 생기가 주변으로 퍼져 나가는 곳이며, 이곳에서
는 상서롭고 귀한 기운이 흐르고 있음을 체감했다. 태봉산
과 물이 어우러진 이곳은 따뜻하고, 사람의 삶을 포근히
감싸는 기운이 가득한 듯했다.

꿈과 목표를 실현하기 위해 대학원에 모인 선배님들과 동
기들에게, 이곳은 500년간 이어진 생명력과 왕실 태의 정
기를 온전히 햇살과 함께 받는 듯한 느낌을 주었다. 마치
동화 속에 있는 듯한 환상적인 경험이었다.

이후 우리는 무학대사와 태조에게 진상된 어리굴젓으로
유명한 간월도 간월암으로 출발했다. 간조로 인해 드러난
바닷길을 따라 바스락거리는 조개무덤의 소리를 들으며 간
월암으로 향했다. 달, 태양, 지구의 자전과 중력이 만들어
낸 썰물과 밀물 속에서 자연의 경이로움을 느꼈다.

간월도에서 달을 보는 것이 좋았던 건지, 아니면 간월도가 마치 바다 위에 떠 있는 달처럼 보였던 건지, 혹은 무학대사가 달을 보며 깨달음을 얻었는지는 알 수 없다. 석가모니도 보리수나무 아래서 깨달음을 얻었다고 한다. 우리는 무엇을 깨닫기 위해 살고 있을까? 달마대사가 "달을 보라"라고 했을 때, 사람들은 달이 아닌 손가락만 봤다는 이야기가 떠오른다. 암자를 둘러본 후 고3이 되는 원우님에게 탄생 팔찌를 선물했다.

오전 동안 서산마애불, 명종대왕 태실, 간월암을 다 둘러보니 목이 마르고 출출해졌다. 근처의 어리굴젓으로 유명한 맛집으로 향했다. 명성에 걸맞게 어리굴젓이 함께 나왔고, 운전하는 분들을 제외하고는 막걸리와 파전을 즐겼다. 물은 꿀맛이었고, 밥은 달았다. 목이 마르면 물을 마시고, 배고프면 밥을 먹으면 되는 것, 이것이 깨달음이고 진리일까? 가까운 커피숍에 들러 커피 한 잔씩 마셨다. 멋진 오토바이를 타고 온 일행들이 카페 앞에 있었다. 나이 들어서는 저런 오토바이를 타는 것이 꿈이다. 이를 위해 앞으로 10년을 잘 준비해야 한다.

커피를 마시며 대학원 이야기를 나눈 후, 바비큐 시간을 맞추기 위해 서천연수원으로 출발했다. 저녁 6시에 도착하여 짐을 내리고 바비큐 장으로 향했다. 함께 고기를 굽고 식사를 나누었다. 옆 테이블과 뒤 테이블에서는 불이 너무 높아 연기가 많이 났다. 삼겹살은 불이 안정된 후에 구워야 타지 않는다. 기름이 많아 불판에서 기름을 제거하며 자주 뒤집어야 눌어붙지 않는다.

저녁을 먹고 소화를 시킬 겸 바닷가로 산책을 나섰다. 불꽃놀이를 즐기는 사람들을 구경하고, 언덕 위 펜션에서는 캠프파이어를 하는 모습을 보았다. 숙소로 돌아와 방 배정을 마친 후, 씻고 거실에 편안하게 앉았다. 선배님들과 함께 맥주 한 잔씩 마시며 지난 일들을 되돌아보았다.

2일 아침이 밝았다. 모두 아침 일찍 일어나 연수원 앞 바닷가를 산책했다. 사진을 찍고 소라도 잡으며 아침 운동과 체조도 했다. 이후 군산 빈해원을 향해 출발, 군산의 근대 문화유산을 돌아보았다.

군산 빈해원은 근대기에 군산에 정착한 화교 문화를 보여주는 대표적인 건축물로, 1950년대 한국전쟁 이후 정착한 화교가 운영하는 중국 음식점이다. 1965년 현재의 건물로 이전하여 독특한 2층 구조와 긴 복도를 자랑하는 이곳은 백 년 가게로 지정되어 있다. 이어서 우리는 일제강점기 조선총독부의 중앙은행 격이었던 구 조선은행 군산지점을 방문했다. 군산항 내항에 위치한 뜬다리 부두는 조수 간만의 차를 활용해 쌀을 수탈하던 역사적인 장소였다.

1899년 개항 이후 서해안의 지형적 특징을 살려 3척의 3천 톤급 기선이 동시에 접안할 수 있도록 설계된 이 부두는, 일제강점기 쌀 수탈을 위해 중요한 역할을 했다.

군산 수제맥주 및 블루스 페스티벌을 지나, 구 일본 제18은행 군산지점을 방문했다. 이 은행은 일본이 조선인의 토지를 사들이고 쌀을 일본으로 팔아 막대한 부를 축적했던 곳으로, 근대의 아픈 역사를 간직하고 있다. 우리는 미즈카

페로 이동했다. 이곳은 1930년대 무역회사로 사용되었던 건축물로, 쌀 수탈의 거점이기도 했다.

항일 의병장 임병찬 장군님의 동상 앞에서 그의 항일 투쟁을 되새겼다. 임병찬 장군은 1906년 면암 최익현 선생과 함께 의병을 일으켜 항일 활동을 벌였고, 대마도에 억류된 후에도 대한독립의군부를 조직하며 끊임없이 독립을 위해 싸웠다. 그의 고귀한 정신을 기리며 우리는 사진 명소인 옛 군산세관 앞에서 기념사진을 찍었다. 1908년 붉은 벽돌로 지어진 이 세관은 일제강점기 동안 호남지방의 곡물을 수탈하던 역사적인 현장이었다.

영화 8월의 크리스마스로 유명한 초원사진관도 방문했다. 한석규와 심은하의 풋풋한 장면들이 벽에 걸려 있었고, 그들의 이야기를 떠올리며 우리의 6월의 이야기도 새록새록 했다. 이후 구 조선운송주식회사 사택과 군산 신흥동 일본식 가옥을 둘러보며, 일제강점기 건축 양식과 그 속에 남아 있는 역사적 의미를 다시 한번 되새겼다.

동국사 대웅전도 방문했는데, 공사 중이라 그곳의 원래 모습을 다 볼 수는 없었지만, 일제강점기 일본식 사찰 건축 양식과 대한민국 불교 역사를 엿볼 수 있었다. 군산 근대역사 체험공간에서는 나라를 빼앗겼던 당시의 아픔을 되새기며, 역사가 단순히 과거가 아니라 미래를 비추는 거울임을 다시 한번 느꼈다. 돌아보며 지나온 시간과 앞으로의 미래를 깊이 생각하는 시간이었다.

다시 빈해원으로 돌아와 식사를 마친 후, 옆 카페에서 담소를 나누었다. 이후 경암동 철길마을로 이동했다. 주차가 힘들었지만, 선후배님들과 함께 사진을 찍으며 즐거운 시간을 보냈다.

마지막으로 군산 선유도에서 집라인을 타러 갔다. 처음엔 겁을 내는 분들도 있었지만, 모두 안전하게 집라인을 타며 그동안의 걱정을 내려놓고 용기를 얻었다. 무엇이든 할 수 있으리라. 돌아오는 길에 카페 앞에서 휴가 중이던 군산 미군부대 미군들과 인사를 나누고 집라인을 추천하였다.

서산마애삼존불상의 미소에서 두려움을 내려놓았고, 명종대왕 태실의 500년 명당에서 기를 얻었다. 간월암에서 무학대사의 사색을 생각했고, 달, 태양, 지구의 자전과 중력이 만들어낸 썰물과 밀물 속에서 자연의 경이로움을 보았다.

군산 근대역사 체험공간에서는 역사가 단순히 과거가 아니라 미래를 비추는 거울임을 되돌아보며 지나온 시간과 앞으로의 미래를 깊이 생각하는 시간이었다.

끝으로 군산 선유도 집라인을 타면서 걱정과 두려움을 버리고 앞으로 무엇이든 할 수 있다는 자신감을 얻었다.

146

대학원 생활 Part Ⅲ

대학원 졸업 여행 (2024년 1월 11일~13일 대만)

새벽 4시에 일어나며 하루를 시작했다. 아마도 긴장했기 때문인 것 같다. 내가 다니는 회사는 미국 관련회사에 식자재를 납품하는 회사로, 나는 인사, 총무, 배차 등을 담당하고 있다. 식품회사임에도 불구하고, 직원들 중 식품영양학과 출신이 없어 전문적인 지식의 필요성을 느꼈다. 미국 회사 검역단 검열에서 매년 식품안전 검열을 받으면서, 21년간의 경험을 정리하고 싶다는 생각도 들었다.

아내의 대학원 과제를 도와 전 과목 A+을 받은 뒤, 아내가 대학원에 다니는 것이 어떻겠냐고 물었다. 그 때가 바로 내가 대학원에 도전할 시기라는 것을 깨달았고, 국립 한국방송통신대학교 대학원에 지원하게 되었다. 면접에서 김선아 교수님은 "전공이 아닌데 정말 잘 할 수 있겠냐"고 세 번이나 물어보셨다. 나는 2001년에 법학과를 다녔고, 미국회사 식품회사에서 일한 경험이 있다고 답변했다.

대학원에 합격한 후 원우회장으로 원우들에게 설문지를 받았을때, 절반은 공부만 하겠다고 했고, 나머지 절반은 친목을 도모하며 공부하겠다고 했다. 나 역시 혼자 공부해봤지만 쉽지 않다는 것을 알기에 선배들과의 유대관계를 통해 정보를 공유하며 공부할 수 있었다.

회사에서 목요일은 미국회사 오더를 받아 상품을 피킹하고 배차하며 야채와 과일을 발주하는 날이다. 금요일은 새벽 6시에 출근해 긴급 오더를 확인하고, 기사님들에게 안전교육과 배차의 특이사항을 안내하는 등 바쁜 하루를 보낸다. 다행히 물량이 적고 복잡하지 않은 시기에 여행 일정을 잡아 두었다. 전날 회의에서 졸업여행으로 이틀 휴가를 다시 알렸는데, 사무실 동료들은 "알아서 할 테니 그냥 갔다 와"라고 했다. 그들의 천진난만한 표정에서 뭔가 불안함을 느꼈지만, 각 항목으로 인수인계서를 작성했다.

대만 1일 차
다음날 새벽부터 시작된 업무를 마치고, 6시 28분에 같이 가기로 한 일행 중 심석영 원우로부터 전화가 왔다. 남편분께서 김포공항까지 태워 주신다는 소식에 황송했다. 오랜만에 방문한 김포공항에서 로밍을 하고, 사무실에서 걸려올 전화를 대비했다.

토요일은 대만에서 총통을 뽑는 날이었다. 친중국계와 친미일본계 후보가 맞붙었고, 나는 친미일본계 후보가 당선되길 바랐다. 회사에서 국제 정세는 나에게 중요한 문제였다.

'Sky Hub Lounge'에 들어가려 했지만 가능한 카드가 없었다. 심석영 원우가 대신 해결해 주셨다. 아침 뷔페는 라면 코너, 일반 한식, 양식, 음료, 요거트 등으로 알차게 준비되어 있었다. 아침 4시부터 준비하고 움직였던 터라 시장했다. 하이볼도 만들어 마셨고, 여행 중 생각날지도 모를 컵라면으로 아침을 마무리했다.

11시에 저가 항공기에 탑승했다. 앞자리와 간격이 좁았지만 창가 쪽 자리이기에 다행이었다. 여행 중 제일 설레는 순간은 비행기 이륙 때였다. 승무원의 안내 방송이 들리고, 여행이 시작된다는 생각에 마음이 들떴다. 1년 전 대학원 졸업여행을 계획했을 때, 과연 갈 수 있을까? 의문이 들었다. 회사에서 인사, 총무, 배차, 냉장창고 관리, 발주 등 다양한 일을 하며 학과 공부와 종합시험을 통과해야 했기 때문에 1년 이상 장기 계획에는 여러 변수가 있을 수 있었다.

비행기는 한반도를 지나 태평양을 빠르게 날아 송산 공항에 도착했다. 입국장에서 만난 가이드는 '환전'을 '한잔'으로 발음해 웃음을 주었다. 첫 도착지는 서문이었고, 망고 빙수와 곱창국수를 맛보았다. 중정 기념관에서는 군인 교대식과 국기 하강식을 보며 여행을 즐겼다. 유명한 용산사에서 건강을 기원하고, 101빌딩에서는 기념사진을 찍었다.
버스는 우리를 스린 야시장에 내려주었고, 지파이와 흑자두를 맛보았다. 가이드 추천을 받은 '18일 맥주'를 사기 위해 여러 편의점을 돌아다닌 끝에 결국 구매했다. 대만 추도 플라자호텔에 도착해 욕조에 몸을 담그니 하루의 피로가 녹아내렸다. 오랜만에 외국에서의 첫날밤이 아름다웠다.

대만 2일 차

직업병 때문인지 21년간 지속된 새벽 출근으로 오늘도 새벽 5시에 저절로 눈이 떠졌다. 회사에 대한 걱정과 외국이라는 이질감, 대만 추도플라자호텔에서의 외국 여행, 피로보다는 여러 감정이 섞여 머릿속은 오래된 컴퓨터 하드디스크처럼 윙윙 소리를 내는 듯했다. 배차는 제대로 되었고 기사님들은 야채 픽업을 잘 해서 창고에 들어왔을까? OO유업과 OO유업은 제대로 들어왔을까? 걱정이 되었다. 다행히 한국시간 출근 이후 1시간 동안 아무 연락이 없었다. 메일을 확인하니, 미국 본사에서 답변요청 메일이 왔다. 휴가 후 복귀하여 답변을 드린다고 했다.

아침 메일에 답변하고 일행들과 아침 식사를 하러 갔다. 무슬림 여성들의 히잡을 쓴 동남아 분들, 중국인들, 한국인들도 보였다. 다들 여행객으로 들뜬 표정에 일찍 일어난 얼굴들이었다. 중국인들은 말이 많고 성조로 톤이 높았고, 동방예의지국인 한국인들은 조용히 얘기했다. 대만식 아침 식사는 기름에 튀긴 꽈배기 모양의 속이 비어 있는 요우티아오와 달콤한 콩물인 또우장이었다. 뷔페였기에 여러 나라 음식을 다양하게 맛보았지만, 이 맛도 저 맛도 아닌 글로벌한 식사였다.

대학원 원우님들과 외국에서 아침 식사를 한다는 것에 더없는 만족감을 느꼈다. 계획을 세우고 실행하고 동참해 주신 원우님들이 멋있어 보였다. 중도에 일이 있어서 못 오신 원우님들이 아쉽기도 했다. 한 버스에 15명이 우리 일행으로 다 채웠다면 더 재미있었을 텐데, 강요할 수는 없었다. 서로 일정이 안 맞은 원우님들도 있었다.

날씨는 맑았다. 춥지도 덥지도 않고 햇볕이 쨍쨍하여 여행하기 좋은 날씨였다. 원우님들이 날씨 요정인 것 같았다. 가이드와 반갑게 인사하고 차에 올라탔다. 예류 지질공원으로 가는 버스 안에서 어제 방문한 101빌딩이 보였다. 버스는 거의 3시간을 대만 동쪽으로 달렸다. 서울에서 강원도로 가는 느낌이었고, 산을 넘자 바다가 보였다.

대만은 섬나라로 서쪽이 낮고 동쪽이 높다. 해발고도 3,000m 이상이라고 했다. 온천도 발달하고 일제 치하에서 광물을 채취하기 위해 도로와 철도가 발달했다고 했다. 우리가 앉은 앞자리는 가이드의 얘기를 생생하게 듣고 묻고 반응하며 대화하기 좋았다. 김삼곤 부회장님은 가이드에게 가이드의 자세부터 여행객에게 구체적으로 설명하는 방법까지 조언해 주었다.

예류 지질공원은 사암 지대에 바람에 의한 풍화, 파도에 의한 침식, 태양과 지각운동으로 만든 해안 조각 미술관이었다. 유명한 것은 제2구역에 있는 여왕 머리였다. 심석영님이 고대 이집트 제18왕조의 제12대 파라오 네페르티티를 닮았다고 했다. 사암 지대이고 지진이 많은 대만이기에 언제 그 목이 떨어질지 모른다고 했다.
"여러분, 잘 오셨습니다. 이거 하나만 봐도 대만 여행은 다 한 겁니다."라는 가이드의 설명에 여행은 바로 지금, 기회가 될 때, 뜻이 맞는 사람과 가야 한다는 생각이 들었다.

사진을 찍고 점심으로 큰 대게 모형이 있는 식당으로 들어갔다. 어제 저녁 같이 했던 아주머니 3명과 점심도 함께 하게 되었다. 연배가 비슷했다. 남편분들은 일하고 부인들은 여행을 하니 여유가 있어 보였다. 급히 친해져서 맥주도 시키고 서로 여행에 관해 얘기했다. 역시 식사를 함께 하면 이렇게 친해지는구나 라고 생각했다.

버스는 다시 1시간 정도 달려 지우펀에 도착했다. 가이드의 설명에 따르면 지우펀은 청나라 시대와 일제 강점기 때 금광으로 유명해졌으나, 광산업이 시들어지면서 급속히 몰락했다고 한다. 그러다 영화 '0000'로 주목받으며 관광지로 거듭났다고 한다. 지우펀은 '구분'으로 등짐을 9개로 나누었던 것에서 유래되었다고 한다. 상품에 유효기간이 있듯이 도시에도, 사람에게도 유효기간이 있다고 생각했다. 그 유효기간을 연장하는 것은 노력이 필요하다. 대학원도 유효기간을 연장하고 미래를 준비하는 이들에게 꼭 필요한 과정이다.

지우펀 거리는 인상적이었지만, 밤에 오면 더 멋있었을 것 같았다. 어제 스린 야시장의 취두부 냄새가 나기도 하고, 땅콩 아이스크림이 목마름을 녹여 주었다.

버스를 타고 다음 장소로 이동하는데 한국 업체에서 전화가 왔다. 수박 납품이 어려울 수 있다고 했다. 외국에서 업무를 보는 것도 재미있구나, 다시 알아보고 가능한 수량을 알려 달라고 했다. 통화하는 사이 약 1시간을 달려 도착한 스펀은 철길 풍등으로 유명했다. 가이드는 "풍등의 네 방면으로 소원하는 바를 적으세요."라고 했다. 4명이니 각자 원하는 면에 건강과 평안, 재물, 사랑과 결혼, 밝은 장래를 적을 수 있었다. 나는 "국립 방송통신대학교 생활과학대학원 19기 졸업을 축하합니다. 17~20기 서재호, 김삼곤, 임영진, 심석영, 모든 원우님들의 건강과 행복을 기원합니다."라고 적었다. 아직 종합시험 한 과목이 남았고 여러 선배님들이 어렵다고 했던 '영양학특론'이지만 통과하여 반드시 동기들과 함께 졸업하리라는 간절한 소원이었다.

철길 풍등을 날리는 곳에 젊은 외국인 가이드는 한국말도 잘하고 사진도 잘 찍고 반응도 좋았다. 가이드는 버스 안에서 숙소로 들어가기 전 상점 두 곳을 들른다고 했다. 내키지 않았다. 아직도 상점을 들리다니? 의문이 들었다. 몇십 년 전에나 있었던 가이드와 결탁한 상점을 방문하여 강매를 하는 일이 일어난다는 것이 싫었다.

처음 방문한 곳은 옥보다 귀한 '비취'라고 했다. 한국인으로 보이는 가이드 할머니께서 설명하시는 동안 김삼곤 부회장님과 나는 열성 여행객인 듯 대답도 잘하고 과도한 반응을 보여 주었다. 아내에게 카톡으로 사진을 보내니 사지말라고 했다. 나가는 문에 몰려 있는 여행객들이 안쓰러워 왼쪽을 보니 술잔에 잉어가 있는 세트가 그나마 실용적으로 저렴해 보였다.

그때 심석영 원우가 복화술로 사지 말라고 하며 저쪽으로 오라고 하는 모양새다. 검색해 보니 네이버에 1/4가격에 판매되고 있었다. 결국 우리 버스에서 거의 모두가 사지 않아 가이드는 근엄해지고 목소리와 표정이 달라졌다. 우리는 돈이 없으니 이해해 달라고 했다.

다음 상점에서는 '대만 58도' 소주를 팔고 있다고 들었다. 기대를 안고 가 보았지만, 우리가 사진에서 본 것과는 다른 대만 소주였고, 가격도 두 배나 비쌌다. 그러나 점심식사 같이 했던 아주머니 한 분이 다른 상품을 구매하셔서 모두가 환호와 박수를 보냈다. 저녁으로는 우육면을 먹었다. 하지만 다른 여행객 중 몇 분은 우육면을 드시지 않으셨다. 한국에서 밥이 주식이지만, 대만에서는 저녁으로 국수를 먹기도 한다고 했다. 양이 적었고, 된장과 간장 베이스인 것 같았다. 공기밥이 필요했지만 없었다. 대만 58도 소주를 사려던 우리는 결국 000 슈퍼마켓을 찾았다. 거기서 한 병의 대만 소주를 저렴하게 구입했고, 함께 온 아주머니 세 분의 구매도 도왔다. 역시 대만에서 쇼핑은 000가 최고였다.

숙소로 돌아오는 길에 숙소 앞 과일 가게에서 흑사과와 열대과일을 샀다. 내일이면 돌아가는 날이라, 어제 사둔 '18일 맥주'를 대학원 동기들과 함께 나누어 마셨다. 입안 가득 차오르는 풍미와 청량함, 쌉싸름한 홉의 맛, 부드러운 거품과 함께 약간의 공복감을 채워주는 목 넘김이 일품이었다. 우리나라 맥주도 더 노력해야겠다는 생각이 들었다.

벌써 내일이면 귀국해야 한다는 생각에 꿈같은 졸업여행

의 마지막 밤이 저물어 가고 있었다.

대만 3일 차
 잠을 청하려고 했지만, 회사에 무슨 일이 생기지 않았을까? 창고는 괜찮을까? 혹시 사고는 없을까? 여러 가지 걱정이 떠올랐다. 새벽에는 저절로 눈이 떠졌고, 맥주를 마셔도 긴장은 풀리지 않았다. 일어나서 짐을 정리하다 보니, 여행 가방은 간단할수록 좋다고들 하는데 옷을 너무 많이 가져왔고, 수영복도 있었다. 업무를 위해 노트북도 챙겼고, 선물도 넣으려니 가방이 내 배처럼 부풀어 올랐다. 오늘 아침 식사는 어제보다 한산했지만, 마지막 날 대만에서의 아침 식사라 의미를 두었다.

 오늘의 일정은 국립 고궁박물관 방문이었다. 이곳은 프랑스의 루브르, 영국의 대영박물관, 뉴욕의 메트로폴리탄, 러시아의 예르미타시 박물관과 더불어 세계 5대 박물관 중 하나라고 했다. 장제스 총통이 자금성과 만리장성을 제외한 모든 중국 유물을 이곳으로 옮겨왔고, 모든 전시물을 한 번에 다 전시하지 못해 산자락 여기저기에 비밀리에 숨겨놓았으며 매년 번갈아 가며 전시물을 바꾼다고 했다. 가이드는 다른 여행사처럼 각자에게 개인 오디오를 나눠주었다.

 육형석과 취옥백채는 다른 곳에 전시 중이어서 사진으로만 보았다. 육형석은 돼지껍질과 돼지고기를 닮았고, 취옥백채는 백옥과 청옥이 함께 어우러져 살아 있는 듯한 여치의 더듬이와 다리 표현이 인상적이었다. 청나라 왕비가 혼수로 가져온 것으로, 배추는 순결, 여치는 다산을 상징한다고 했다. 상아로 만든 투화 운룡문 투구(상아공)은 3대에 걸쳐 제작한 것으로, 공 속에 17개의 공이 들어 있었다. 현대 최고의 조각가도 14개 밖에 만들지 못했다고 한다. 상아 안의 상아를 깎아 만든 공들은 모두 분리되어 돌아갔다.

박물관을 둘러보며 장제스 총통의 명령으로 20만 대만군이 어렵게 유물을 옮긴 이유를 알 수 있었다. 문화재가 있기에 중국은 대만을 미사일로 공격하지 않을 것이라는 말도 들었다. 문화대혁명으로 문화재가 소실된 경험이 있고, 남아 있는 문화재는 대부분 대만에 있다고 했다. 만약 전쟁이 나면 수도가 있는 서북보다는 서남일 확률이 있다고 한다.

박물관을 둘러보고 커피 한 잔을 마신 후, 밖으로 나왔다. 일행을 기다리며 화장실을 찾다가 '지선원'이라는 곳을 발견했다. 연못과 웅장한 공원이 있는 곳이었다. 사진을 찍고 있는 동안 여행객들이 도착했다. 연로하신 분들은 장인, 장모, 막내딸, 사위였다. 어제부터 속이 안 좋아 식사를 못 드셨다고 한다. 막내딸이 효녀로 보였고, 같이 오신 사위도 멋져 보였다. '18일 맥주'를 살 때 우리에게 양보하셨던 분이었다. 여행은 당장 떠나는 것이지만, 여행 중 배탈이 나면 곤란하다. 미리 말씀하셨으면 스틱형 유산균이라도 챙겨드렸을 텐데, 버스에 트렁크가 있어서 드릴 수 없었다.

버스를 기다리며 어제 가고 싶었던 '삥랑'에 대해 김삼곤 부회장이 이야기하자, 가이드가 장난스럽게 삥랑 4개를 구해 주었다. 1급 발암물질로 기사님들의 졸음을 쫓기 위해 씹는 풀이었고, 맛이 고약하며 주황색 물이 나왔다. 눈을 들어 본 맑은 하늘 아래 야자수가 이국적이었다. 드디어 버스가 도착해 공항으로 출발했다.

공항에서 짐을 부치려고 하니 세 분 아주머니들의 가방이 크고 무거웠다. 흡사 장사하시는 분 같았다. 가이드는 아이디어를 내서 전체 여행객 가방으로 무게를 분산했다. 김삼곤 부회장과 나는 덩치가 커서 추가 금액 없이 비상용 좌석을 받았다. 공항에서 꼭 사고 싶었던 대만 58도 소주 세트를 샀고, 명품 샵도 구경했지만 가격이 비싸 구경만 했다. 중국인들은 구찌보다는 에르메스 매장에 많았다.

짧았던 대만 여행을 마치고 비행기에 몸을 맡겼다. 이번 여행은 나를 위한 선물 같았다. 대학원에서 만난 좋은 사람들과 함께한 여행은 사람이라는 선물을 안겨주었다. 임영진 총무가 오지 않았다면 심석영 원우도 못 왔을 테고, 김삼곤 부회장이 오지 않았다면 나 혼자 가는 여행이 되었을 수도 있었다. 절묘한 조합과 시간, 선물 여행이었다.

비행기 창문 아래로 저물어가는 저녁 노을과 함께 서울의 남산타워가 보였다. 김포공항에 도착하니 심석영 원우 남편이 반갑게 맞이해 주었다. 김삼곤 부회장과 임영진 총무는 국내선으로 갈 수 있도록 도와주었다. 나를 집까지 데려다주셔서 미안했지만, 셋이 여행 이야기를 나누다 보니 금방 사당에 도착했다. 심석영 원우의 동생과 인사하고, 자녀를 태우고 집으로 가는 길에 과천을 지나 안양까지 태워주셨다.

돈을 내고 가지 못한 대학원 동기들의 비용은 돌려주고, 선물은 심석영 원우가 보내기로 했다. 고마운 마음들이 모여 서로를 배려하는 모습에서 따뜻함을 느꼈다. 대학원 원우회 활동 중 분에 넘치게 받은 사랑도 있었고, 서운했던 감정도 있었다. 서로가 서로에게 위로가 되어 치유되는 느낌이었다. 이제 한 달 남은 마지막 퍼즐인 2차 종합시험만 보면 졸업이라는 그림이 완성된다. 맛있는 초콜릿을 하나씩 먹듯, 이제 몇 개 안 남은 과정을 남겨두고 있다. 2차 종합반을 잘 이끌어 졸업해야 할 텐데, 원우회장으로서 책임이 막중하다.

밤 하늘의 별을 보며 마음을 다짐했다.
'국립 한국방송통신대학교 생활과학대학원 19기 졸업을 축하합니다. 17기, 18기, 19기, 20기, 서재호, 김삼곤, 임영진, 심석영, 모든 원우님들, 건강과 행복 기원'

[식품 및 조리과학] 프로젝트 실험 기말보고서

학 번		성 명	서재호
제목	서리태 껍질 유무의 흑두부와 백태 두부의 품질 특성		
실험배경	● 서리태는 10월 하순경 서리를 맞고 수확한다고 해서 '서리태'이다. 서리태 열량은 431kcal/100g, 탄수화물 37.4g, 단백질 36.4g, 지방 15.9g, 지방질 중 85%는 불포화지방산. ● 서리태의 유익한 성분은 1. 안토시아닌(수용성 함암 성분, 활성 산소 제거, 시신경 보호, 열에 강함, 서울여대 식품 응용학부 2017.12). 2. 이소플라본(식물성 에스트로겐, 유방암 세포 발현 억제, 골세포 형성). 3. 글리시테인, 사포닌(서리태 껍질, 면역력, 요오드배출로 갑상선질환 주의). 4. 레시틴(인지질, 아세틸콜린과 합성, 치매예방, 피부노화 방지). 5. 아르기닌, 시스테인 (필수아미노산, 뇌신경세포형성, 신진대사 촉진, 중금속 배출). 6. 단백질 (필수아미노산, 글리시닌 성분 우수, 가열 조리로 렉틴 성분 극복). 7. 식이섬유(다이어트, 배변 기능, 가스발생 단점). 8. 궁중음식 중 보약(본초강목 신장을 다스리고 부종을 없애며 혈액순환 활발하게 모든 약의 독을 풀어줌, 간암과 위암 치료제) ●조리과학 P200, 대두에 함유된 쿠니츠 억제제(kunitz inhibitor)나 난백에 함유된 오보뮤코이드 (ovomucoid) 등은 가열하지 않고 섭취하면 단백질의 소화를 저해하지만, 가열하면 불활성화되어 단백질의 소화흡수 및 체내 이용률을 높여준다 ●서수현(건국대,2009), aglycone은 glycoside보다 생체 이용성이 우수한 형태로 알려져 있어 두부와 청국장은 isoflavone의 좋은 공급원이라 할 수 있다. ● 식문화에서 배운 "식약동원", 음식과 약은 그 뿌리가 같다. 동의보감에는 사람의 병을 다스리는 사람은 먼저 병의 근원을 깨닫고 음식물로 이를 치료하며 식이요법으로 병이 낫지 않을 때 약을 사용한다고 했다. ● 따라서 본 연구는 다양한 생리활성과 건강 성분을 지닌 서리태 흑두부를 껍질 유무로 구분하고 대조군으로 백태 두부와의 품질 특성 및 관능적 특성을 분석함으로써 서리태를 활용한 두부의 개발 및 건강식의 대체 가능성을 비교 평가하고자 하였다.
실험목적	● 서리태 껍질 유무 흑두부와 백태 두부와의 품질 특성 및 관능적 특성 비교
실험 재료 및 방법	● 재료 : 백태두부(일반두부), 서리태 (1000g), 간수(두부제조용 7g, 콩물2리터용) ● 제조 경기도 여주 소재 농협 서리태 1000g을 깨끗이 수세하여 상온에서 15시간 동안 22~24℃에서 수침, 팽윤 시킨 후, 불린 콩을 500g씩 서리태와 껍질을 깐서리태로 나누었다. 각각 물을 넣고 열 전도를 최소화하기 위해 30초간 2번 마쇄 후 여과하여 얻은 두유를 제조하였다. 제조된 두유를 92~97℃에서 가열, 이를 80~85℃로 식힌 후 응고제로 1 tablespoon(15ml) 간수와 200ml 물을 가하여 천천히 혼합 후 30분간 정치시켜 curd가 형성, 이를 면포에 두부성형틀(14*10.5*9cm)로 30분간 압착하였다. 또한, 시판두부는 시중에서 유통되고 있는 보통두부를 구입하여 대조시료로 사용하였다. ●색도측정 색도는 Color Meter (Hunt, TES-135A, Taiwan)로서 L, a 및 b값을 측정하였으며, 표준백판의 L, a 및 b 값은 각각 59.43, -3.760, 및 -11.19이었다. ●Texture 측정 두부의 texture측정은 두부제조 후 24시간 동안 4℃로 저장한 두부를 일정크기(3x3x3cm)로 절단하여 texture analyzer (GB/TA-XTplusC, stable micro systems, England)로 측정하였다. 이때의 측정조건으로는 Test Mode(Compression), Pretest Speed(5.00mm/sec), Test Speed(5.00mm/sec), Post Test

| 실험 재료 및 방법 | Speed(5.00mm/sec), Target Mode(Distance), Distance(5.00mm), Trigger Type Auto(force), Trigger Force(10g)를 일정하게 설정하고, 시료당 7회 반복 측정하여 Peak Force와 Peak Distance의 값으로 나타내었다. |

● 관능검사: 국립한국방송통신대학원 식품영양학과 재학생 중 4명의 관능검사 요원에게 육안과 손의 촉감 및 직접 맛을 보는 관능평가 방법으로 나누어 조사하였다. 자료실에 제공된 기호도검사표 9점 척도를 활용하였다.

● 통계처리: 색도 및 Texture, 관능검사 결과의 통계 처리는 Excel program에 의한 분산분석(ANOVA)로 하였다. p<0.05 수준에서 유의성 있는 그룹 간의 차이를 검정하였다.

실험결과 및 고찰

● 색도측정

백태	L	a	b	서리태	L	a	b	깐 서리태	L	a	b
1	90.10	-2.105	13.78	1	75.20	-3.375	11.62	1	86.80	-2.005	16.14
2	87.36	-0.185	13.13	2	67.38	-0.285	8.46	2	89.33	-2.315	14.51
3	80.34	0.605	13.08	3	79.09	-2.870	12.07	3	82.68	-3.275	18.37
Average:	85.93	-0.56	13.33	Average:	73.89	-2.18	10.72	Average:	86.27	-2.53	16.34
S.D.	5.034	1.394	0.391	S.D.	5.964	1.658	1.966	S.D.	3.357	0.662	1.938
Coef. of Variation	5.858	-248.139	2.930	Coef. of Variation	8.071	-76.152	18.345	Coef. of Variation	3.891	-26.154	11.859

심은영(한국식품영양학회지, 2020), 백태의 백색도(L)은 87.78(대찬)~89.53(대풍 2호)범위, 적색도(a)는 0.05~0.12, 황색도(b)는 16.26~19.38로 나타났다. 이번 실험 백색도(L)에서 백태는 80~90, 서리태는 67~79, 깐 서리태는 82~89로 나타났다. 백색도(L)은 백태, 깐 서리태, 서리태 순이었다. 적색도(a)에서 백태는 -2.1~0.6, 서리태는 -3.3~-0.2, 깐 서리태는 -3.2~-2.0로 나타났다. 적색도(a)은 서리태, 깐 서리태, 백태 순이었다. 황색도(b)에서 백태는 13.08~13.78, 서리태는 8.46~12.07, 깐 서리태는 14.51~18.37로 나타났다. 황색도(b)는 깐 서리태, 서리태, 백태 순이었다. 분산분석(ANOVA)에 의해 백색도(L)과 황색도(b)는 각각 0.03, 0.01로 P-값<0.05 유의수준이 성립합니다.

● Texture 측정

Test ID	백태		서리태		깐 서리태	
	g	mm	g	mm	g	mm
	Peak force	Peak distance	Peak force	Peak distance	Peak force	Peak distance
S 2-131	30.891	3.130	21.828	3.080	13.657	0.105
S 2-132	28.912	4.755	20.221	4.951	14.764	0.105
S 2-133	24.786	4.805	16.702	4.880	13.874	1.405
S 2-134	27.305	4.180	19.403	4.930	14.000	0.105
S 2-135	30.508	3.130	21.843	4.880	14.092	0.105
S 2-137	25.320	2.655	17.397	3.805	17.859	2.005
S 2-138	25.573	3.130	17.140	4.951	18.416	2.205
Average:	27.614	3.684	19.219	4.497	15.237	0.862
S.D.	2.527	0.878	2.187	0.751	2.016	0.974
Coef. of Variation	9.152	23.846	11.381	16.691	13.233	113.025

심은영(한국식품영양학회지, 2020), 백태의 경도는 1,862.08g(대찬)~2,244.2g(대풍 2호)범위로 나타났다. 이번 실험 경도에서 백태는 24.7g~30.8g, 서리태는 16.7g~21.8g, 깐 서리태는 13.6g~18.4g로 나타났다. 경도는 백태, 서리태, 깐 서리태 순이었다.

● 관능검사

구분	백태	서리태	깐 서리태
외관	9	7	8
향	7	8	8
맛	7	8	9
조직감	9	8	7
전체선호도	7.25	7.75	8.25

*Evaluated by mouth-, Each values represent the mean of the rating by panels using 9 point scale
(1: very poor or very weak, 9: or very good or strong).

관능평가 요원에 의한 관능평가 결과, 대조군인 백태는 외관과 조직감에서,
서리태는 향에서, 깐 서리태는 맛에서 높은 점수를 받았다. 시중에서 파는 두부는 특유의
냄새로 싫어하는 분도 있다. 집에서 만드는 두부는 그 특유의 냄새가 없고 부드러운
식감으로 기호성을 높였다.

| 참고문헌 | ●김주영, 김준한, 김종국, 문광덕. (2001). 가공조건에 따른 전지대두분 두부의 품질 및 관능평가. 한국식품영양과학회지, 30(3), 455-459.
●김선아, 김승민, 이기원, 강기화, 「식품학」, 한국방송통신대학교출판문화원, 2022.
●김선아, 문보경, 이선미, 「조리과학」, 한국방송통신대학교출판문화원, 2020.
●서수현. "Comparison of phenolic compounds and isoflavones contents in soybean seeds, curd and chunggukjang." 국내석사학위논문 건국대학교 대학원, 2009.
●심은영,이유영,박혜영,최혜선,곽지은,김미정,김홍식,and 김진숙. "콩 원료에 따른 일반 두부의 품질 비교." 한국식품영양학회지 33.6 (2020): 710-720.
●이란숙, 최은지, 김창희, 김영봉, 금준석, 박종대. (2014). 검은 콩 및 노란 콩의 품질 특성 및 콩 부위별 항산화 활성. 한국식품과학회지, 46(6), 757-761.
●이현정. "서리태 콩깍지의 항산화 활성." 국내석사학위논문 단국대학교 대학원, 2012.
●최찬익,문혜경,이수원,and 김종국. "오미자 추출액을 응고제로 이용한 백태 및 서리태 두부의 품질 특성." 한국식품저장유통학회지 23.1 (2016): 42-48.
●황인경외, 식품품질관리와 관능검사,교문사, 2019. |

| 요약 | 조선시대 궁중음식 중 보약으로 칭하고 본초강목에서 신장을 다스리고 부종을 없애며 혈액순환을 활발하게 하여 모든 약의 독을 풀어준다는 서리태다. 대두에 함유된 단백질의 소화 저해 요소인 쿠니츠 억제제를 가열하면 불활성화 되어 식물성단백질의 소화 흡수 및 체내 이용률을 높여 준다. 또한, 밝은 색에서는 백태, 적색에서는 서리태, 황색의 녹색 계열 에서는 깐 서리태로 인해 삼색두부로 미각을 살릴 수 있다. 본 연구의 결과는 건강 기능성 가진 서리태의 두부를 껍질 유무로 가능함을 보여주고 있으며, 이는 건강측면에서 집에서 두부를 만들고 대학원 식품영양학과 학도 및 조리과학 측면에서 다양한 연구 방법을 실증적 으로 보여 주었다. |

| 감사의 말 | 본 연구는 국립한국방송통신대학교 생활과학대학원 김선아 교수님과 박효순 튜터 선생님의 도움으로 교내 식품영양학과 실험실에서 두 번에 걸쳐 진행되었습니다. 봄 햇살같이 따스한 말씀과 미소로 '식품 및 조리과학'이라는 최고의 학문을 어렵지만 즐겁게 배웠습니다. 또한, 미군부대 19년 경험과 미군에게도 한국 전통의 우수한 식문화와 영양학적 결정체인 두부를 제공하려는 귀중한 학문적 기반을 실증적으로 얻게 되었습니다. 생업과 학업을 병행하며 힘들었지만, 재미있고 보람된 연구를 할 수 있는 기회를 주셔서 감사의 말을 올립니다. |

*다음 장부터 백태와 서리태, 깐 서리태 품질 특성 및 관능적 품질 비교 실험

*백태와 서리태, 깐 서리태 품질 특성 및 관능적 품질 비교 실험

[실험 준비물]

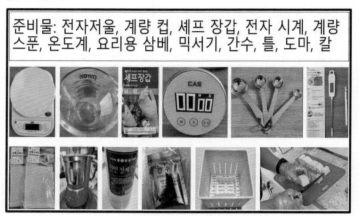

준비물: 전자저울, 계량 컵, 셰프 장갑, 전자 시계, 계량 스푼, 온도계, 요리용 삼베, 믹서기, 간수, 틀, 도마, 칼

[국립한국방송통신대학교 생활과학대학원 식품영양학과 실험실: 종합물성시험기]

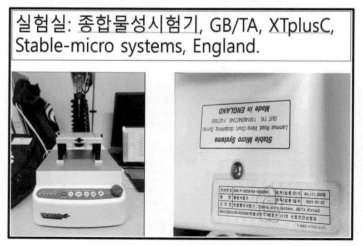

실험실: 종합물성시험기, GB/TA, XTplusC, Stable-micro systems, England.

[실험실: 색도계]

실험실: 색도계, Color Meter, TES-135A, Taiwan.

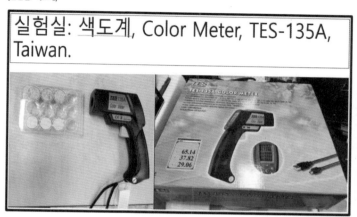

[서리태 흑두부, 껍질 깐 서리태 흑두부 실험군 만들기]

실험군(서리태100g, 마쇄(30"*2), 면보 거르기, 가열, 92.1~97.8℃, 천일염 간수)

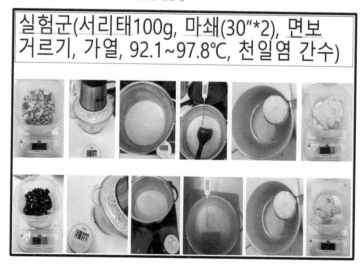

[색도계 측정 결과]

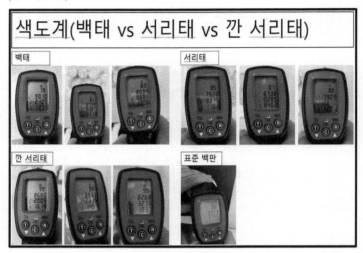

색도계(백태 vs 서리태 vs 깐 서리태)

백태

서리태

깐 서리태

표준 백판

[색도계 lightness(L) 및 ANOVA 분석]

lightness (L)	밝은 대 다크		
표본	백태	서리태	깐 서리태
1	90.10	75.20	86.80
2	87.36	67.38	89.33
3	80.34	79.09	82.68
Average:	85.93	73.89	86.27
S.D.	5.034	5.964	3.357
Coef. of Variation	5.858	8.071	3.891

분산 분석: 일원 배치법

요약표

인자의 수준	관측수	합	평균	분산
Column 1	3	257.80	85.93	25.3409
Column 2	3	221.67	73.89	35.5681
Column 3	3	258.81	86.27	11.2663

분산 분석

변동의 요인	제곱합	자유도	제곱 평균	F 비	P-값	F 기각치
처리	298.4196	2	149.2098	6.201973	0.034651	5.143253
잔차	144.3507	6	24.05844			
계	442.7703	8				

lightness (L)

전진...그리고 동행 I

- 19기 생활과학과 부회장이시며 항상 문화 세미나를 진행
  해 주셨던 **김삼곤 부회장님**과의 인터뷰 내용입니다. 매
  회 진행하는 모든 문화 세미나에 진심이셨던 마음이 느
  껴지는 내용입니다.

◆ 문화해설사를 하기 전

1. 반갑습니다. 현재 하시는 일은 무엇인가요? 어떠한 일을
   담당하시나요? 혹시 자격증이 있으시면 모두 다 알려
   주실 수 있나요?
   저는 사회복지 시설에서 사회복지사로 일을 하고 있습니
   다. 노숙인 요양시설에서 노숙인을 보살피고, 상담, 위생
   관리, 프로그램 진행까지 다양한 일을 하고 있습니다.
   제가 가진 자격증은 주로 생계형 자격증이 많습니다. 운
   전면허는 대형면허와 견인면허까지 취득하였으며 택시면허,
   버스운전 면허, 화물운송 종사자면허까지 있습니다,
   근무 중인 곳이 사회복지시설이고 기관 특성상 사회복지
   사, 장애인활동 보조사, 요양보호사까지 있습니다.
   그리고 관광학을 전공하여 국내여행안내사, 국외여행인솔
   자 자격증도 있으며, 한국사 능력시험 중급, 수렵면허, 바
   리스타 자격증도 가지고 있습니다.

2. 왜 문화 해설을 시작하셨나요? 계기가 되었던 이유가
   있나요?

국내여행안내사 자격증을 취득하면 누구나 해설을 하고 싶어합니다. 저도 같은 이유에서 시작했습니다. 정년퇴직 후 좋아하는 일을 직업으로 가져 보는 것이 좋을 것 같아서 시작했습니다.

3. 많은 자격증을 소지하고 계시는데 특히 문화 해설을 하시는 이유가 무엇일까요?

글쎄요? 문화해설을 하면서 준비하는 과정에서 더 배우고 자료를 보면서 새로운 것들을 공부하는 게 좋습니다.

4. 유물이나 유적지에 대한 문화 해설을 많이 하고 계시는데 문화 해설을 하면서 내가 바라보는 시선이 바뀌었나요?

작은 것에도 역사와 사연이 있구나? 그런 것들 그리고 주위를 먼저 살펴보는 버릇이 생겼습니다. 예를 들어, 제가 사는 동네에는 뭐가 있을까? 그런 궁금증이 생겼고, 한 번 보고 두 번 보고 여러 번 보게 되면 달라지는 시선의 변화가 내적 흥미로움을 채우는 것 같습니다. 물론 관심이 가는 분야에 한정적으로 적용됩니다.

◆ 문화해설사를 하는 중에

5. 수많은 문화 해설을 하는 중에 가장 좋아하는 유적지 (혹은 유물)는 무엇인가요? 그 이유는 무엇일까요?

좋아하는 유적지는 조선왕릉입니다. 접근이 쉽고 입장료도 저렴하며 능마다 사연이 있고, 무덤의 주인은 역사를 통해 알 수 있는 인물이고 해설할 때 스토리텔링 하기 좋은 장소이기 때문입니다.

6. 가장 많이 해설하신 곳은 어디일까요?

서오릉입니다. 서오릉은 능, 원, 묘가 모두 능역 안에 있고 역사의 순리와 시간 흐름의 섭리를 배우며, 개별적 특징을 가지고 있어 공부하기 좋은 능입니다.

7. 문화 해설을 하면서 가장 힘들었던 곳이나 상황은 어떤 곳이었을까요?

예정에 없이 신륵사를 간 적이 있었는데, 사실 제가 사찰은 굉장히 취약한 곳인데요. 게다가 예정에 없이 가서 사전 준비를 못 했습니다. 그리고 사찰 용어들이 종교적이라 익숙하지 않았고, 고객이 기독교인이라서 조금 힘들었던 기억이 있습니다. 그래서 신륵사 문화해설은 고객들에게 조금 죄송하기도 하고 아쉬움이 남는 기억이 있었습니다.

8. 문화 해설을 하기 위해 귀하의 마음가짐이나 독특한 방법, 다양한 준비를 하시나요?

자료준비를 많이 하는 편입니다. 단순한 암기가 아닌 원인과 결과까지 이해하려고 노력을 많이 합니다. 외워지지 않으면 시험 볼 때처럼 여러 번 반복해서 단어들을 씁니다. 발음이 힘든 단어들은 천천히 반복하여 익숙해지려 애쓰는 편입니다.

9. 일과 문화 해설을 병행한다는 것이 결코 쉬운 일은 아닙니다. 특별한 노하우가 있을까요?

일처럼 생각하기보다는 즐기려고 노력하는 편입니다. 해설하기 전 사전답사를 통해 혼자서 그곳에서의 호흡과 여유로움을 즐기는 거죠. 해설하는 곳의 시대로 돌아가 공감도 해보고, 즐기면서 하는 게 최고의 노하우 아닐까요?

10. 지난 대학원 시절 정기적으로 문화 세미나를 주최하셨습니다. 그 기간 얼마나 많은 지역, 문화 세미나를 하셨나요? 가장 기억에 남던 문화 세미나는 어느 곳이었나요?

정말 많은 곳을 다녔습니다. 서오릉, 인천 차이나타운, 강화도 북부, 강화도 남부, 서산마애삼존불, 명종대왕 태실, 군산 근대문화유산 거리, 고군산군도, 종묘, 광통교, 정동길, 수원화성, 수성동계곡, 인왕산 자락길까지 많이 다녔네요.

개인적으로 1박 2일의 일정으로 갔던 서산 ~ 서천 ~ 군산 ~ 고군산군도까지 진행되는 문화세미나였는데, 원우회장이 군산 문화 세미나를 가기전 대학원 모임에서 문제가 생겨 마음고생 했었습니다. 그래서 그 일을 풀어주려고 조선 왕실 태실 중 가장 명당이라는 명종대왕 태실을 거쳐 군산까지 가서 고군산군도의 멋진 경치를 보고 느꼈습니다. 즐겁게 동행해 준 선배님, 원우들이 감탄해 주었던 서산 ~ 군산 문화 세미나가 가장 기억에 남고 평생 잊지 못할 추억을 원우들과 만든 것 같습니다.

11. 문화 해설을 하시면서 있었던 에피소드 2~3가지 알려주셔요.

글쎄요? 동기들과 하는 모든 문화 세미나가 에피소드라고 생각합니다. 시작하는 순간부터 끝날 때까지 즐거움, 모든 체험이 살아가는 삶의 값진 자양분이 될 것 같습니다.

12. 문화 해설을 하면서 꼭 알려주고 싶은 장소가 있으신 가요?

강화도 구석구석에 볼게, 생각보다 많습니다. 강화도에 가게 되면 늘 가던 곳만 가게 되는데요. 구석구석 가보시면 좋습니다. 강화도는 아직도 문화답사 진행형입니다.

13. 문화 해설이 마무리되어 귀가하고 있을 때 귀하의 마음은 어떠하신가요? 그때의 감정이나 상황을 알려주셔요.

저뿐만 아니라 모든 해설사가 만족하지 않을 겁니다. 고객들은 만족해도 해설하는 사람들은 늘 뭔가 아쉽다고 생각합니다. 특히 대학원의 문화 세미나 같은 경우는 보수를 받는 해설이 아니고 대학원 원우들을 위한 마음으로 하는 해설이기 때문에 '다음에는 어디를 가지? 오늘 잘했나?'그런 생각이 집에 올 때까지 아니 며칠 동안은 조금 덜 채운 듯한 아쉬운 여운이 남습니다.

◆ 문화 해설을 미래에는

14. 문화 해설 등을 하면서 새로 다짐하거나 새로 만들어진 목표가 있을까요?

늘 조선왕릉만 다닌다고 생각하는 주위들이 사람이 많은데 그냥 평범한 문화해설사가 되는 게 목표입니다. 그리고 예전에 다녔던 조선왕릉을 블로그에 다시 포스팅하는 게 목표이기도 합니다.

15. 객관적으로 나의 인생을 한걸음 뒤에서 바라본다고 하였을 때 문화 해설이 귀하에게 갖는 색다른 의미가 있을까요? 가장 큰 의미나 변화는 무엇일까요?

특별한 의미보다는 일상을 즐기는 취미 생활이라고 보시면 좋을 것 같습니다. 문화해설은 제가 좋아하는 일을 하면서 남들에게 즐거움도 줄 수 있는 일이라고 생각합니다. 결국, 모두가 즐거운 일이니 제 삶 자체가 잘 사는 삶이 되지 않을까요.

16. 문화 해설은 현재 귀하의 일상에 전환점이 되는 것은 아닌 것으로 보입니다. 대학원 졸업도 귀하의 일상에 변화가 있어 보이지는 않습니다. 그래도 대학원을 졸업하셨고 문화 해설도 계속하고 계십니다. 계속하시는 이유는 궁극적으로 무엇일까요?

문화 해설을 하면서 공부하고, 배우는 게 좋습니다. 사전 답사를 통해 제가 먼저 공간과 호흡하며 힐링한다고 생각합니다.

17. 인생의 전환점을 지나고 있는 중·장년층, 꿈과 희망으로 가득 찬 청년들에게 조언해 주고 싶은 것들이 있다면 무엇일까요?

중·장년층들에게는 잘하는 일을 하라고 말하고 싶습니다. 실패를 반복하지 말고 이제는 자신의 마음을 편하게 할 수 있는 잘하는 일을 해보세요. 청년들에게는 진정으로 하고 싶은 일을 하라고 말하고 싶습니다. 본인이 느끼고 깨달을 때까지 하고 싶은 일을 해보세요.

18. 마지막으로 또 다른 어떠한 이야기를 해주고 싶으신 것이 있으신가요?

문화 세미나가 지속적으로 진행되었으면 하는 작은 바람입니다. 많은 선·후배, 원우들이 참석하여 문화 세미나를 통해 삶을 사색하며 여유롭고 충족된 마음으로 인생을 살아가면 좋겠습니다.

전진...그리고 동행 Ⅱ

- 이글은 세계6대 국제마라톤 경기에 참가하여 완주를 한 **이영미원우님(19기)**과 인터뷰를 하고 기록한 기록물입니다. 계속 전진하고 계시는 이영미 원우님을 응원합니다.

1. 반갑습니다. 마라톤하시기 전에 귀하께서 하시던 취미활동이 있으셨나요? 그 취미활동은 어떻게 시작하게 되었나요? 혹시 자격증이나 수상 경력이 있으셨나요?

 저는 마라톤을 본격적으로 하기 이전에는 우연한 기회에 근력운동을 집중적으로 하게 되었고 보디빌딩 대회를 출전하기 위해 혹독한 식이요법과 7전 8기의 피나는 노력과 정신으로 전국 보디빌딩 대회 여자부에 입상하게 되면서 운동 강사라는 새로운 직업을 갖게 되었습니다.

 평범한 가정주부에서 제2의 인생을 살게 되었고 그렇게 시작한 직장생활은 힘든 순간들도 많았고 또 아내로, 엄마로 여러 가지 역할에서 오는 어려움과 스트레스로 마음이 힘든 시기가 오게 되었습니다.

 무언가 다른 돌파구가 필요했던 저는 달리기를 다시 시작하는 계기가 되었고 마라톤이란 목표를 향해 다시 도전하게 되었습니다.

2. 맨 처음 달리기를 왜, 어디서 하셨나요? 그때 어떠한 마음이 드셨나요?

 저는 40대 초반 달리기를 처음 접하게 되었습니다. 그 계기는 제가 두 아이의 육아로 우울하고 힘들어하던 어느 날

지역 육아 카페에서 주최하는 스포츠센터 프로그램에 참여하면서 운동과 러닝을 처음 접하게 되었습니다. 그때 처음 걷다 뛰기를 반복하며 한 달 정도 연습하며 호수공원 한 바퀴를 4.8km를 달리게 되었던 것이 저의 첫 달리기의 시작이 되었습니다.

이때의 작은 성취감이었지만 마음속 깊이 벅차오르는 무언가에 끌려서 너무나 커서 저는 시간이 날 때 우리 집 근처에 있는 호수공원을 달렸는데 호수공원의 아름다운 풍경을 마주하며 달리는 상쾌함과 묘한 달리기의 매력을 어렴풋이 알게 되었습니다.

달리기를 지속하고 싶은 마음에 무작정 고양시 마라톤 대회 10킬로 출전하여 혼자서 완주하고 또 그 이후 하프마라톤까지 출전하여 완주하게 되었습니다. 하프를 완주하고 또 풀코스에 도전하기로 목표를 세웠습니다.

그러나 풀코스는 혼자의 힘으로 힘들단 생각에 지역 가톨릭 마라톤클럽에 가입하게 되었고 동호회의 여러 도움으로 30킬로까지 훈련할 수 있었습니다.

그리고 저는 첫 마라톤 대회로 평화마라톤대회에 출전하여 4시간 59분 45초라는 기록으로 완주하였고 첫 40대 연대별 1등이라는 것을 하면서 저는 마라톤이라는 것에 **빠져**들었습니다.

3. 달리기(운동)를 시작하면서 달리기하기 전과 달리면서 하는 일이 바뀌셨나요?

지역스포츠센터에 운동 강사로 일하면서 달리기를 시작하

게 되었고 지금도 여전히 같은 직종에서 근무하고 있습니다.

직장생활과 학업을 계속 병행하는 바쁜 일정 속에서 직장의 연차휴가를 이용해서 세계 6대 마라톤을 완주할 수 있었기에 더욱 의미 있고 뿌듯하고 감사한 마음입니다.

4. 만약 달리기 전과 다른 일을 시작하게 되었다면 그 일은 현재 하는 일 과 비슷한 일인가요?

네, 같은 일을 하고 있습니다.

5. 마라톤을 처음 출전한 대회를 기억하시나요? 그 대회를 출전하였을 때와 처음 달리기를 했을 때의 느낌과 비슷하였나요?

저의 첫 마라톤대회는 고양시 마라톤 대회에서 10km 부분이었습니다. 처음에는 분위기에 휩쓸려 페이스 조절을 잘 못해서 후반에 힘들었지만, 많은 러너 속에 혼자 단독으로 가서 배번 달고 10km 완주하고 받은 메달과 간식으로 나누어준 빵과 음료수를 잔디밭에 앉아 맛있게 먹었던 기억은 행복한 추억으로 남아있습니다.

호수공원에서 천천히 조깅하며 처음 달리기를 한 것과 비교하면 마라톤 대회에 나가게 되면 훨씬 생동감이 있었으며 출발선 앞에서 느껴지는 긴장감과 완주 후에 메달 수령과 함께 느껴지는 성취감 등 비교할 수 없을 만큼 출전한 것에는 많은 차이가 느껴졌습니다. 저는 첫 마라톤대회 이후 달리기의 매력에 빠져들게 되었고, 이어서 얼마 지나지 않아 하프를 도전하게 되었습니다.

6. 수많은 마라톤 대회에서 가장 힘들었던 대회는 어느 대회였나요?

그동안 서른다섯 번 풀코스를 뛰고 하프와 10km 대회도 많이 출전했지만 아마도 이번 런던 마라톤이었습니다.

뉴욕 마라톤. 베를린, 보스턴 시카고 동경 마라톤 5대 마라톤 대회를 모두 완주하고 마지막을 런던에서 마무리해서 6대 마라톤을 마무리 지어야 하는 런던 마라톤 대회였습니다.

그런데 생각에 예상치 못한 발목부상으로 출전 여부가 불투명한 상태에서 언제 다시 출전을 기약할 수도 없는 6대 마라톤 완주가 자칫 중단될 수 있는 위기 속에서 저는 철저한 식이 관리와 재활 운동 그리고 일과를 꼼꼼히 체크하며 다이어리를 밀착 작성하며 위기를 극복해 내고 저는 런던 마라톤을 멋지게 완주할 수 있었습니다.

주변의 만류에도 불구하고 출전한다는 것 자체가 위험부담이 많았지만 나는 "내 한계는 내가 정한다"라고 출전을 결심하였고 상상하던 환희에 찬 모습으로 보란 듯이 완주했습니다.

7. 시간을 내어 취미활동인 운동을 하는 것이 쉬운 일은 아닌데 그 취미 활동으로 국제대회까지 나가셨는데 특별한 이유 같은 것이 있으신가요?

제가 첫 하프마라톤을 완주했던 2014년, 지금으로부터 10년 전 제가 다니던 성당의 신부님께서 우리 집에 가정방문하셨다가 우리 집에 걸린 제 마라톤 사진을 보시더니 "로사 자매는 보스턴 마라톤 갈 포스"라고 저에게 말해 주셨습니다. 성당 주임 신부님을 통해 보스턴 마라톤이라는 것을 처음 알게 되었고 지나가듯 툭 던지신 말씀에 그 당시 보스턴마라톤을 완주하겠다는 당찬 꿈을 꾸게 되었습니다.

풀코스도 뛰기 전 이었고 하물며 보스턴 마라톤 나이대별 기록이 있어야 참가할 수 있는 그런 대회임에도 불구하고 말이에요. 그때 저는 예수님이 저에게 하신 말인 듯 무언가 이끌리듯 보스턴 마라톤을 꿈꾸었고 그로부터 몇 년 뒤 풀코스를 완주하고 그 이후로 몇 년 동안 보스턴 참가 기록을 위해 비지땀을 흘려가며 열심히 훈련하였습니다.

2019년 춘천 마라톤에서 3시간 43분이라는 기록을 달성하게 되었고 그렇게 보스턴 마라톤 향한 저의 열정은 세계 6대 마라톤까지 연장하여 꿈을 꾸게 되었습니다. 그렇게 저는 꿈을 꾸고 10년 만인 2024년에 제가 꾸었던 꿈을 이루게 되었습니다.

그래서 저는 누군가의 한마디가 삶을 바꾸어 놓는 것 같다고 생각하게 됩니다. 저도 누군가에 꿈을 심어주는 그런 말을 하는 사람이 되고 싶습니다.

그리고 특별한 저만의 노하우는 먼저 적금 통장에 마라톤 명을 적어서 일정 금액을 모으고 바로 해외 마라톤 여행사에 예약금을 예치해서 진행하는 것이 저의 실행력을 높이는 방법이었습니다. 지금은 7대륙 마라톤 통장과 세계여행이라는 통장 명으로 일정 부분을 모아가고 있습니다. 그 언제를 위해 미리 행복해질 수 있습니다.

8. 달리기를 좋아하지만, 마라톤이라는 단어에서 오는 어려움과 두려움이 있습니다. 그 어려움과 두려움 때문에 많은

사람들이 마라톤은 시도하지 않고 러닝머신으로 끝나는 경우가 많습니다. 그 어려움과 두려움은 어떻게 극복하셨나요?

마라톤에 대한 두려움과 어려움은 많은 사람들이 겪는 감정이며 몇 가지 방법으로 극복할 수 있었어요

먼저 작은 목표 설정하고 처음부터 풀코스를 목표로 하지 않고, 5km나 10km 같은 작은 거리부터 시작하면 부담이 줄어듭니다. 가족과 함께 참가하는 것을 추천합니다.

그리고 체계적인 훈련 계획을 세우면 자신감이 생깁니다. 점진적으로 거리를 늘리고 다양한 훈련을 통해 실력을 키울 수 있습니다. 마지막으로 달리기 그룹이나 커뮤니티에 참여하면 서로 격려받으며 동기를 유지할 수 있습니다. 같은 목표를 가진 사람들과 함께하는 것이 큰 도움이 됩니다.

마라톤의 즐거움은 대회 날의 분위기와 다른 참가자들과의 교류는 정말 즐겁고, 그 경험이 두려움을 덜어줍니다.

9. 수많은 마라톤 대회장에 가장 감동스러웠던 마라톤이 있었나요?

시각장애인분의 단독 가이드 러너로 풀코스에 완주했던 2019년 JTBC 마라톤 대회입니다. 엄청난 길거리에 응원과 지지를 받으며 주로를 달렸습니다. 저와 함께 했던 시각장애인분이 발가락의 통증을 참으시며 완주 후에 눈물을 훔치는 모습에 저도 모르게 왈칵 눈물이 쏟아져 함께 울었던 가슴 뭉클한 대회였습니다.

통증이 있으셨지만, 끝까지 포기하지 않고 완주하시는 모

습을 하나의 끝으로 연결되어 같이 달리며 가장 가까이에서 지켜보면서 암흑과도 같은 아무것도 보이지 않는 이 시각장애인분들에게 달리기란 정말 어떤 것일까 정말 많은 생각이 교차하던 감동스럽고 감격스러운 대회였습니다.

암흑 같은 세상에 달리기가, 이 시각장애인 분에게는 한 줄기 빛이 되어 살아가는 것이라는 생각과 함께 지금 주어진 삶에 대한 감사한 마음으로 전환하는 계기가 되었던 대회였습니다.

10. 세계 6대 마라톤 대회에 대해 알려주셔요. 그 대회 중에 가장 즐거웠거나 힘들었던 대회에 대해 알려주셔요.

세계 6대 마라톤(World Marathon Majors)은 국제적으로 가장 권위 있는 마라톤 대회들로 구성된 시리즈입니다. 이 대회들은 각국의 문화적 배경과 도전적인 코스로 유명하며 대회마다 독특한 매력을 지니고 있으며, 이들 6대 마라톤 대회는 각각 독특한 매력과 도전 요소를 가지고 있습니다. 마라토너들이 개인 기록을 세우거나 세계 기록에 도전하는 무대이며 많은 마라토너가 6대 마라톤을 모두 완주하는 '6스타 피니셔'가 되기를 목표로 합니다.

첫 번째, 세계 6대 마라톤 중 가장 유명한 보스턴 마라톤이고 개최지는 매사추세츠주 보스턴이며 매년 4월 셋째 주 월요일인 미국 애국자의 날에 열리며 세계에서 가장 오래된 연례 마라톤 대회입니다. 그리고 보스턴 마라톤은 엄격한 참가 자격 기준을 두고 있어, 일정 기록을 달성해야 참가할 수 있습니다. 미국에서도 보스턴마라톤에 참가할 기록을 달성하는 것은 어려우며 이것을 목표로 많이 달리기 하고 있으며 기록 달성하여서 참가하는 것을 매우 영광이라고 생각한다고 합니다. 보스턴의 코스는 언덕이 많으며, 특히 '하트 브레이크 힐이라는 유명한 구간이 주로 32~34km 사이에 자리 잡고 있어 체력적인 도전이 큽니다. 또한, 날씨가 매우 변덕스럽고 강풍이나 폭염이 나타날 수 있어 예측하기 어려운 환경도 도전적인 요소로 꼽힙니다.

두 번째, 런던 마라톤은 매년 4월 영국 런던에서 개최가 되며 런던의 유명한 상징물들을 지나며, 타워 브리지, 빅벤을 지나 버킹엄 궁전 등을 볼 수 있는 경치가 뛰어난 대회입니다. 대회 분위기가 매우 활기차고 응원도 뜨거우며, 런던 마라톤은 세계적으로 자선 모금 활동이 가장 활발한 마라톤 대회로도 유명하며 많은 참가자가 자선 단체를 위해 기부 활동을 펼치며, 따뜻한 분위기가 대회의 특징입니다.

세 번째, 베를린 마라톤은 독일 베를린에서 매년 9월에 개최가 되고 평탄한 코스로 인해 세계 기록이 자주 경신되는 대회로 유명합니다. 엘리트 선수들이 세계 기록을 세우기 위해 주로 이 대회에 참가하며, 현재 남자 마라톤 세계 기록도 이 대회에서 나왔습니다. 코스는 베를린의 주요 랜드 마크를 지나가며, 특히 브란덴부르크 문을 통과하는 것이 상징적이며 코스가 평평하고 날씨 조건이 비교적 좋기 때문에, 개인 기록을 세우기에 적합한 대회입니다.

네 번째, 시카고 마라톤의 개최지는 일리노이주 시카고이며 매년 10월에 개최가 됩니다. 시카고 마라톤은 코스가 평평하고 직선 구간이 많아 기록을 세우기 좋은 대회로 평가받습니다. 이 대회 또한 세계 기록이 여러 번 경신된 대회 중 하나입니다. 시카고의 중심가를 관통하는 코스로, 도시의 활기와 응원이 넘쳐나며 바람의 도시로도 불리는 만큼, 강한 바람이 경기력에 영향을 미칠 수 있는 점이 특징입니다. 그리고 완주 후에 500리터 캔 맥주가 제공되어 완주 후에 벌컥벌컥 마시는 시카고 캔 맥주의 맛은 정말 일품입니다.

다섯 번째, 뉴욕 마라톤은 매년 11월에 열리며 뉴욕 시티 마라톤은 전 세계에서 가장 많은 참가자와 관중을 자랑하는 대회입니다. 뉴욕의 다섯 자치구 스태튼 아일랜드, 브루클린, 퀸스, 브롱크스, 맨해튼을 통과하는 코스는 다양한 경관을 제공합니다. 뉴욕의 거친 환경과 고도의 변동, 관중들의 열렬한 응원이 이 대회의 특징이며, 세계 최고의 마라톤 대회 중 하나로 평가됩니다. 특히, 피니시 라인은 센트럴 파크에 자리 잡고 있어 매우 상징적입니다. 센트럴 파크를 달리다 보면 뉴욕의 가을이라는 영화의 한 장면을 떠올릴 수 있습니다

여섯 번째, 도쿄 마라톤은 매년 3월에 개최가 되며 도쿄 마라톤은 6대 마라톤 중 가장 최근에 추가된 대회입니다. 현대적인 도시 도쿄를 배경으로 하며, 도시의 변화한 풍경과 전통적인 일본 문화가 어우러진 코스이며 자원봉사자들의 친절과 종이컵 하나도 도로에 놓여 있지 않은 일본의 정교한 조직력과 깨끗하고 철저한 환경 관리가 인상적입니다. 도쿄 마라톤은 매년 겨울의 끝자락에 개최되며, 비교적 온화한 기후에서 치러져 참가자들이 달리기 좋은 조건을

제공합니다. 그리고 완주 후 열리는 만찬 연회는 환상적입니다. 다만 짧은 일정에도 불구하고 고가의 경비가 든다는 점은 아쉬운 부분입니다.

가장 힘들었던 대회는 보스턴 마라톤으로 엄격한 참가 자격 때문입니다. 보스턴 마라톤은 다른 메이저 대회와 달리 누구나 신청할 수 있는 것이 아니라, 이전 마라톤 대회에서 일정 기록(Qualifying Time)을 달성한 사람만 참가할 수 있습니다. 저도 이 보스턴 마라톤에 기록을 달성하는 데 2년이라는 시간이 걸렸고 드디어 2019년 춘천 마라톤에서 나이대별 3시간 43분을 기록하여 참가권을 획득하였으나 코로나로 인해 2년을 더 기다려야 했습니다. 처음 목표를 세우고 참가하기까지 8년이라는 시간이 흘러야 했습니다.

보스턴 마라톤은 험난한 지형, 예측하기 어려운 날씨, 높은 참가 기준 등 여러 요소가 겹쳐 가장 힘든 마라톤 대회로 평가됩니다. 이러한 도전적인 요소들 때문에 많은 마라토너들이 완주 자체를 하나의 큰 성취로 여기며, 그만큼 보스턴 마라톤에서 완주하는 것은 마라토너들에게 큰 자부심을 안겨줍니다. 저 또한 보스턴 마라톤을 20년 뒤 개량 한복을 입고 다시 완주하는 것이 제 인생 목표일 정도로 남다른 매력이 있는 특별한 대회임은 분명합니다.

11. 국제마라톤에 참가하실 때 귀하께서 모든 절차(마라톤 대회등록 및 숙소 배정, 비행기티켓 등)를 혼자서 하셨나요? 아니면 대행업체(여행사 등)을 끼고 신청하셨나요?

국제마라톤에 참가할 때, 많은 사람들이 두 가지 방법의

하나를 선택합니다.

첫 번째, 직접 모든 절차를 진행하는 경우이며 등록, 숙소 예약, 비행기 티켓 구매 등을 스스로 해결하는 방식입니다. 직접 계획을 세우면 보다 자유롭게 선택할 수 있고, 비용 절감의 여지도 있습니다. 특히 마라톤 경험이 많고 여행 준비에 익숙한 사람들은 이 방식을 선호할 수 있습니다.

두 번째, 여행사나 스포츠 전문 대행사를 통해 모든 절차를 한꺼번에 처리하는 방식입니다. 대행업체는 대회 등록, 숙소, 항공편, 현지 교통 등을 패키지로 제공하기 때문에 처음 국제 대회에 참가하거나 언어가 불편한 경우 매우 편리할 수 있습니다. 다만, 약간의 추가 비용이 발생할 수 있습니다.

어떤 방법을 선택하느냐는 본인의 경험과 선호도에 따라 달라질 수 있으며 저는 편리함을 우선시하여 모든 절차를 오픈 케어 전문 해외 마라톤 여행사를 통해서 6대 마라톤 을 모두 진행하였습니다.

12. 마라톤하시면서 있었던 에피소드를 알려주셔요.

런던 마라톤 대회를 하루 전날 깊은 새벽에 제가 묵었던 호텔에 요란하게 울리는 화재경보기의 소리에 놀라 급하게 호텔 방을 빠져나와야 했었습니다. 그 긴박한 상황에 저는 두 가지를 챙겨 나왔는데 그건 바로 마라톤 배번과 다이어 리였습니다.

저에게는 여권과 달리보다 마라톤 배번과 다이어리가 정 말 더 중요했나 봅니다. 그만큼 세계 6대 마라톤 완주가 간절했었고 정말 힘든 순간마다 저의 모든 것을 기록하며 분신처럼 생각하던 나의 다이어리였기 때문이었습니다.

런던 마라톤 완주 후 저는 당 트러블로 인해 계속 토하고 속이 울렁거리는 불편한 상태가 런던 마라톤 완주 기념 저녁 만찬 때까지 계속되어 먹은 것을 그대로 바로 쏟아내는 상황이 되었습니다. 몸 상태가 너무 좋지 않아서 저녁도 제대로 먹지 못하고 그렇게 간절히 먹고 싶던 맥주도 한 모금 못 마시고 밤새 시달리다 잠이 들었습니다.

속이 쓰리고 배가 고픈 상태에 새벽에 호텔에 조식하기 내려갔는데, 같은 일행분들과 런던 마라톤 완주의 기쁨을 서로 나누며 이른 새벽 시간 호텔 조식 대신에 시원한 맥주를 마셨습니다. 밤새 시달린 속을 달래기 위해선 분명 죽이나 수프를 먹고 속을 달래주어야 한다는 것을 머리로는 알고 있는데 저는 코로나 맥주를 벌컥 마시며 어제 못한 나만의 축하주를 하게 되었습니다.

알코올로 쓰린 속을 소독하는 느낌이었지만 완주 후의 기쁨이 얼마나 크던지 지금까지 마셨든 맥주 중에 가장 맛있는 맥주였습니다.

24년 만에 마라톤을 뛰기 위해 다시 오게 된 런던에서 일정에 없던 세계 6대 마라톤 완주 축하 만찬에 샴페인 축하주까지 정말 그때를 생각하면 미소가 절로 지어지는 행복하고 아련한 추억으로 잊지 못할 에피소드로 남아있습니다.

13. 마라톤 결승선이 눈앞에 보이면서, 결승선을 통과할 때 귀하께서는 어떠하셨나요? 그때의 감정이나 상황을 알려주셔요.

마라톤 결승선이 눈앞에 보일 때는 정말 감동적인 순간이며 마음속에서는 42.195km 오롯이 내 두 다리로 해냈다는 자부심도 커집니다.

 몸은 지치고 힘든데, 결승선을 통과하는 그 순간에는 혼합된 감정들이 몰려오면서 기쁨, 안도감, 그리고 성취감이 한꺼번에 쏟아집니다. 특히 마라톤은 긴 거리만큼이나 많은 준비와 인내가 필요하기 때문에, 결승선을 통과할 때 그동안의 노력과 희생이 보상받는 느낌이 들면서 주변에서 응원해 주는 사람들의 소리도 더 크게 들리고, 그 소리가 마지막 힘을 내게 해줍니다.

 그리고 결승선을 지나자마자, 모든 힘이 빠지며 기쁨과 함께 몸이 완전히 이완되는 환희 찬 순간이 찾아오며 완주의 기쁨은 이루 말할 수 없습니다.

 해외 마라톤 같은 경우 베를린 마라톤 생맥주를 제공해 주고 시카고 마라톤은 500리터 캔 맥주를 완주한 사람들에게 제공해 주는데 완주 후에 마시는 맥주는 사막에서 오아시스를 만나는 듯 정말 말로 표현할 수 없을 만큼 환상적이었습니다. 세상에서 가장 맛있는 맥주는 마라톤 풀코스 완주 후 바로 마시는 시원한 맥주라고 생각합니다.

14. 세계 6대 마라톤을 완주한 후 귀하께서 새로 다짐하였거나 새로 만들어진 목표가 있을까요?
 저는 막연히 꿈꾸던 세계 6대 마라톤을 완주하고 나니 꿈을 꾸고 그 꿈을 실현하면서 간절히 원하고 바라면 꿈은 이루어진다는 것을 직접 체험하면서 저는 또 다른 꿈을 꾸게 되었습니다.

그것은 바로 저의 건강센터를 운영하며 운동과 영양 상담을 해주며 지역사회에 도움이 되는 것이며 그리고 세계 7대륙 마라톤 완주와 70대 개량한복 입고서 보스턴 마라톤 풀코스를 다시 완주하는 것이 저의 20년 뒤 목표입니다.

15. 객관적으로 나의 인생을 한걸음 뒤에서 바라본다고 생각하였을 때 운동하기 전과하면서 나는 어떻게 변화가 왔나요? 가장 큰 변화는 무엇이었을까요? 그 변화에 대학원 생활도 도움이 되었을까요?

내 인생을 뒤돌아보았을 때 가장 잘한 것은 운동을 시작한 것이라고 말하고 싶습니다. 운동이 계기가 되어 저는 학업을 계속 이어가 나의 인생은 운동하기 전인 삶과 운동을 하고 난 뒤의 삶이 거의 무에서 유를 만들었다는 생각과 함께 커다란 성취감을 주었으며 그것이 원동력이 되어 머물러 있지 않고 계속 나아가는 삶을 살아가려 노력하고 있다는 것입니다. 그리고 실패와 시련을 통해 더욱 단단해지고 강인해지는 저를 만날 수 있었습니다.

16. 인생의 전환점을 지나고 있는 중, 장년층 그리고 꿈과 희망으로 가득한 청년들에게 조언해 주고 싶은 것들이 있나요?

인생의 전환점을 지나고 있는 장년층과 꿈과 희망으로 가득한 청년들에게 주고 싶은 조언은 서로 다른 인생 단계에 맞는 시각과 태도를 바탕으로 한 것입니다. 하지만 공통으로 중요한 몇 가지 원칙이 있습니다.

장년층에게 주는 조언으로는 경험을 자산으로 삼고 건강

을 우선시하고 삶의 유연성을 가지라는 것입니다. 그리고 관계를 돌아보며 이제는 관계를 다시 정리하고 재평가할 시기입니다. 소중한 사람들과의 관계를 지속적으로 강화하고, 불필요한 관계는 정리하는 것이 중요합니다. 가족, 친구, 동료들과의 유대는 앞으로의 삶에서 큰 의미를 가질 수 있기 때문입니다

청년들에게 주는 조언으로는 실패를 두려워하지 말고 열정과 끈기를 유지하라는 것입니다. 꿈을 꾸는 것만큼 중요한 것은 그 꿈을 이루기 위한 끈기와 열정입니다. 인생은 마라톤입니다. 단기적인 결과에 연연하지 말고, 지속적으로 노력하는 태도를 유지하세요.

시간이 지나면 노력의 결실을 보는 순간이 올 것입니다. 그리고 새로운 기술, 새로운 경험, 새로운 사람들과의 만남은 모두 성장을 위한 기회입니다. 다양한 경험을 통해 자신의 시야를 넓히고, 끊임없이 학습하고 발전하려는 마음가짐을 가지세요.

인생의 어느 시점이든 변화와 성장은 멈추지 않아야 한다는 것입니다. 누구나 자신만의 속도와 방향으로 더 나은 자신을 만들어 갈 수 있으며, 중요한 것은 현재의 자신을 믿고 앞으로 나아가는 용기입니다.

17. 마지막으로 또 다른 어떠한 이야기를 하고 싶으신 것이 있으신가요?

꿈과 비전을 구체적으로 설정하는 것입니다. 인생의 목표를 명확히 하고 그 목표를 향해 나아가는 데 있어 중요한 단계입니다. 꿈이란 우리 마음속에서 품는 희망이나 이상

적인 상태라면, 비전은 그 꿈을 실현하기 위한 구체적인 계획과 과정입니다.

꿈과 비전은 그저 희망적인 생각에 그치지 않고, 구체적이고 실현할 수 있는 계획으로 만들 때 비로소 현실이 됩니다. 꿈을 명확히 하고, 목표를 세우며, 그 목표를 향해 꾸준히 나아가면서 자신을 믿고 도전을 지속하는 것이 중요합니다.

꿈이 있다면 바라는 점이 있다면 구체적으로 적고 기록하라는 것입니다. 오늘 하루 그리고 일주일 한 달 분기별 달성 가능한 목표를 세분화해서 체크하고 기록을 매일 내가 원하는 미래의 내 모습과 연결해서 피드백하시길 강력 추천합니다. 그러면 여러분이 기록하며 상상하던 모습이 현실에 그대로 실현되는 기적을 맞이하게 될 것입니다.

제가 제 꿈을 이루었던 것처럼 말입니다.

전진... 그리고 동행 Ⅲ

식품영양학전공 함금순 압화작가 (17기)

작품명 : 대지의 기쁨

제22회 대한민국압화대전 (2023년 4월21일)
추상분야 농림식품부장관상 대상 수상 작품

작품명 : 정감

작품명 : 소망 한가득

· QR코드를 찍으시면 작품에 어울리는 아코디언 연주곡을 들으실수 있습니다.
 (아코디언연주 – 심석영19기)

작품명 : 그리움

작품명 : 가을을 노래함

작품명 : 추억의 한자락

작품명 : 석양

작품명 : 행복한 사랑

전진...그리고 동행 Ⅳ

가정복지상담학전공 김수연(19기)

김수연원우님은 평소애 해보고 싶었던 그림책 만드는 작업을 하셨습니다. 20번 이상의 수정된 원고를 볼 때마다 성장하고 있는 모습이 보였습니다.

그림책 작가로 데뷔하시는 김수연 원우님의 작품을 소개합니다.

우리 같이 가 보자.

너의 이름을 잃어버리진 않았니?

우리 마을에

꾸미가 살아.

언제나 해가 뜨면 저 멀리서 꾸미의 콧노래 소리가 들려.
아무 일도 일어나지 않는 우리 마을.
꾸미의 콧노래 소리는
잠자는 나를 깨워.

우리 마을은 항상 눈이 내리고 하얀 눈이 이불처럼 쌓여 있어.
꾸미가 지나간 발자국은 구름처럼 보여서 좋아.

꾸미의 콧노래 소리가 들리면 나는 몰래 실눈을 떠.
그러다 꾸미를 더 빨리 보고 싶어서 눈을 크게 뜨기도 해.

꾸미는 어느새 내 앞에 성큼 다가와 "안녕"하고 인사하고

저 멀리 사라져.

어느 날 꾸미가 수줍게 웃으며
"미안해. 난 너의 이름을 지금까지 모르고 있지 뭐야.
난 꾸미야. 너는 이름이 뭐니?"라고 물었어.
그래서 "안녕 꾸미야.
그런데 난 이름이 없어."라고 대답했더니
꾸미는 "그래? 그럼. 우리 너에게 맞는 이름을 찾아보자." 했어.

그러고 나서 "다음에 또 만나."
하고 가버렸어.

204

꾸미가 가는 모습을 한참 동안 바라보며 나는 생각했어.
'이름이 있어야 하는 걸까?
어쩌면 나에게도 이름이 있었을지도 모르겠어.

나에게 맞는 멋진 이름
나의 이름
무엇으로 할까?'

어느 날
나는 꾸미에게 "어디로 가?"라고 물어보았어.

꾸미는
"친구를 만나러 가. 저 산을 넘어가면 있어.
친구들을 만나면 작은 소식, 큰 소식, 재미나고 엉뚱한 소식 등을
서로 말하는데 정말 재미있어."

그 말을 듣고 너무 부러웠어.

나도 친구들을 만나고 싶고 궁금해졌어.

큰 소식

놀라운 소식

이끄럽고 날카로운 소식

슬픈 소식

젊은 소식

재미나고 엉뚱한 소식

즐거운 소식

정말 재미있지 않아?

어느 날 나는 꿈을 꾸었어.

꿈속에서 꾸미와 하늘을 날기도 하고 뛰어다녔지.

그러다 재미나고 엉뚱한 소식, 슬픈 소식, 짧은 소식,
시끄럽고 날카로운 소식, 큰 소식, 놀라운 소식을
만나서 인사도 나누고 같이 놀았어.
아주 재미나게.

그러다 꿈에서 깼는데 너무 슬퍼졌어.
나도 다른 곳을 보고 싶고 친구들도 만나고 싶어.
그런데 나는 갈 수 없어.

그래.
난 작은 나무거든.
걸을 수 없는
키도 작고 가지만 몇 개 달린
작은 나무야.

오늘도 꾸미가 나를 찾아왔지.
콧노래를 부르며.
그리고 오늘도 여러 가지 소식을 들려주었어.

그러다 슬픈 나의 표정을 보고 나에게 물어보았지.
"너 슬퍼 보이는데 무슨 일 있니?"

꾸미의 말에 나는 눈물을 흘리며
"꾸미야. 나는 너의 이야기가 좋아.
그런데 나는 움직일 수가 없어서 너와 같은 것을 볼 수가 없어.
네가 본 것을 나도 보고 싶어."

꾸미는 한참 동안 나를 바라보며 옆에 앉아 있었어.
우리는 밤의 달과 별을 보았어.
함께 보는 달과 별은 혼자 보는 것과 다르게 보였지.

꾸미는 나에게
"나도 너와 같아.
나도 바람과 새가 말하는 봄을 만나 보고 싶어.
나도 가고 싶다고 했는데 바람과 새는 어려울꺼래.
내가 눈사람이라서 안된다고...
그런데 나도 봄을 만나 보고 싶어.

혹시 나랑 같이 가지 않을래?

그 길은 아주 멀다고 들었어.
그리고 힘들 거야."

나는 한참을 생각하고
꾸미에게 "그래, 같이 가자" 대답했어.
그리고 꾸미의 손을 잡고 발에 힘을 주었지.

처음에는 힘들었지만 조금씩 움직이기 시작했어.
조금씩 조금씩

나도 이젠 움직일 수 있어.

꾸미와 같이 갈 수 있어.

꾸미는 내게 신발을 주었어.

처음 신어 보는 신발은 너무 좋아. 나도 신발이 생겼어.
꾸미가 준 신발을 신고
꾸미와 함께
봄을 만나러 갈 수 있다니 너무 좋아.

우리는 오랜 시간을 같이 걸었어.
봄을 만나러 가는 길은 정말 멀어.
그래도 좋아.
우리는 계속 웃으며 걸었어.

우리는 이런 마을을 만났지.

그리고 고요하고 상쾌한 마을도 보았고

저 위에도 올라가 크게 소리도 질러 보았어.

이런 멋진 마을도 지나고 있었어.

그런데 왠지 이상해.

꾸미가 계속 땀을 흘려.

난 행복해.

이제는 모든 것이 우리 마을과 달라.

바닥에 눈도 없고 이상한 나뭇잎과 처음 보는 색으로 가득해.
나는 점점 키가 크고 꾸미는 힘이 없어서 자꾸 넘어져.

그런데도 꾸미는 계속 웃어.

땀을 계속 흘리던 꾸미는
어느 순간 사라졌어.
바닥에 반짝이는 무언가만 남았어.

나는 너무 놀라서 꾸미를 계속 불렀어.
"꾸미야. 꾸미야. 어디 갔어?"

게다가 이번엔 내 몸이 이상해.
간지럽고 따가워.
가지 끝이 따끔거리고 간지러워.

왜 그러지?
나도 사라지는 건가?

나무야. 안녕. 안녕

나무야 안녕. 안녕. 안녕. 안녕

나는 어느 순간
꾸미가 말하던 나무가 되었어.
새와 바람과 나비와 벌이 나를 찾아와 인사해.

그런데, 나는 슬퍼.
꾸미가 보고 싶어.

어느 날 하늘에 구름이 흔들리더니 찬바람도 찾아왔어.

그리고 비가 내려.
똑똑 똑

비가 그치더니 바람이 불어.

갑자기 내가 그리워하던
꾸미의 콧노래가 들려.
"안녕.
난 꾸미야
넌 멋진 나무가 되었구나.
멋진 봄이 되었네.
너의 이름이 '봄'이구나.
너의 이름이 좋니?
나는 "그래 나는 봄이야. 반가워 꾸미야."
라고 대답했어."

꾸미는 이제는 어디든 갈 수 있대.
그리고 꾸미가 본 것을 들려줘.

"봄아. 봄아. 저 멀리에는.."